TEL — HILAIRE
1 — 819 — 762 — 07.

D1050631

Carmen & Léo

Vous êtes des amis
qui on ne peut oublier.
Les occasions de se revoir
sont trop rares.

Bonne lecture,
Avec nos sincères amitiés
Hilaire & Gilberte

23/12/05

Le triomphe de l'espérance

MON HISTOIRE *Hilaire Boissé*

Hilaire Boissé, auteur
Rouyn-Noranda (Québec)

Conception graphique de la couverture :
L'Agence secrète

Conception graphique de l'intérieur et mise en page :
L'ABC de l'édition
www.achatsecur.com/labcdeledition

Réviseur-correcteur :
Hélène Paraire

ISBN 2-922952-17-7

Dépôt légal
- Bibliothèque nationale du Québec, 2005.
- Bibliothèque nationale du Canada, 2005.

L'ABC de l'édition
Hilaire Boissé
Copyright © 2005. Tous droits de reproduction réservés

Catalogage avant publication de Bibliothèque et Archives Canada

Boissé, Hilaire, 1922-

Le triomphe de l'espérance : mon histoire

(Collection Héritage)
Autobiographie.

ISBN 2-922952-17-7

1. Boissé, Hilaire, 1922- . 2. Abitibi-Témiscamingue - (Québec) -
Conditions économiques - 20e siècle. 3. Abitibi-Témiscamingue (Québec) -
Biographies. I. Titre. II. Collection: Collection Héritage (Rouyn-Noranda,
Québec).

FC2945.A26Z49 2005a   971.4'1304'092   C2005-941939-3

Remerciements

Je souhaite souligner la contribution de Fernand Bellehumeur pour son enseignement et ses précieux conseils. Je remercie également mes deux filles, Céline et Hélène, qui ont contribué à ce livre dans la correction et la mise en page. Finalement, merci à mon épouse Gilberte qui m'a accompagné dans tous les aspects de ce projet.

Préface

Malgré la grisaille, la vie, le printemps, les odeurs de fleurs et de plantes envahissaient la voiture. Gilberte et Hilaire occupaient les sièges avant de la grosse familiale. Moi, à l'arrière, derrière Gilberte. Nous quittions Rollet pour le Témiscamingue. En ce samedi de mai, le soleil se laissait désirer dans le Montreuil. Frank Dottori, président de la campagne de financement de la Fondation de l'Université du Québec en Abitibi-Témiscamingue, nous recevait à Ville-Marie, à l'usine Temlam, pour une séance de travail. Hilaire en profitait pour faire quelques livraisons de fleurs pour son fils Jean.

Ces longs déplacements dans ce pays de la démesure et des grands espaces me permettaient de parfaire ma connaissance de la région et de son histoire. Les villages, les maisons, les lieux me donnaient l'occasion de questionner et d'échanger avec Hilaire. Il se prêtait volontiers à ce jeu et sa connaissance me fascinait. Ainsi, avec le temps, les gens qui ont défriché le pays, qui l'ont développé et qui le font encore au quotidien me devenaient plus familiers. Souvent, Hilaire les connaissait. Avec eux, il avait partagé projets et travail. Toutes ces personnes faisaient partie de son large réseau de contacts, il avait su trouver le beau et le meilleur de chacune d'elles.

Au fil de la route, de riches silences venaient compléter nos discussions. Vers la fin du Montreuil, Gilberte mit fin à l'un d'eux. Avec la complicité d'Hilaire, elle me proposa de participer à leurs exercices de spiritualité. Après un court moment de surprise et quelques Ave récités par Gilberte, je fis les lectures à haute voix. Des souvenirs envahissèrent mon esprit... Je devais avoir une dizaine d'années la dernière fois que j'ai récité le chapelet en voiture. C'était à la fin des années 50. Chaque soir, à 18 h 45, CHNC New Carlisle diffusait le « Chapelet en famille ». Nous y participions assidûment.

Une fois ces souvenirs estompés, je fus ébahi par l'engagement de ce couple. D'abord par rapport à leurs valeurs, dans ce cas-ci leurs valeurs religieuses, mais aussi par l'engagement de l'un envers l'autre et à l'égard de leurs enfants (les fleurs derrière la voiture), et également par leur responsabilité vis-à-vis de leur communauté, la Fondation de l'UQAT. Hilaire et Gilberte partageaient avec moi un peu de leur vie et de leur intimité. Une profonde sérénité m'habitait et je me sentais choyé de côtoyer des gens d'une telle qualité. L'homme qui m'accompagnait alors dans mes premiers pas comme recteur témoignait d'un grand respect, d'un grand amour pour ses semblables et sa vie n'était qu'engagement envers eux. Peu à peu, Hilaire deviendra mon conseiller, mon mentor et je dirais mon père adoptif en Abitibi-Témiscamingue.

Par *Le triomphe de l'espérance*, Hilaire nous offre le récit de sa vie. Quelle générosité! De sa paroisse natale de Notre-Dame de Bonsecours au Rapide-Danseur, tous les détails y sont: dates, événements, contacts, personnes, descriptions, anecdotes... Quelle mémoire! Derrière tous ces faits bien racontés, j'ai surtout retrouvé l'homme qui m'accompagnait dans mon voyage au Témiscamingue il y a quelques années : ce bâtisseur engagé autant dans sa vie familiale, professionnelle que communautaire. Son engagement ne se limite pas à l'implication, la participation ou la contribution; son engagement prend position, témoigne, travaille au service de la cause et porte fruit. Je pense entre autres aux nouveaux produits financiers et d'assurance qu'il a développés, à la Fondation de l'Université et à la Fête du Patrimoine qu'il a mises sur pied.

Dans un monde souvent marqué par la facilité, l'éphémère et quelques fois la témérité, l'histoire d'Hilaire témoigne plutôt d'amour, d'engagement, de courage, de ténacité et d'espoir. On y découvre que l'amour sans engagement est vide, que l'engagement sans travail, sans courage et sans ténacité est superficiel et que travail, courage et ténacité sans l'espoir sont pure folie.

Le triomphe de l'espérance confirme qu'Hilaire fait partie de ces bâtisseurs de pays qu'il me présentait lors de nos voyages.

— Jules Arsenault
Recteur de l'Université du Québec en Abitibi-Témiscamingue de 1989 à 2004.
Actuellement, il est directeur du Centre multirégional de recherche en foresterie, de l'U.Q.

Prologue

« Témoins de la vérité et de l'espérance... »

Nous avons marché ensemble depuis au-delà de cinquante ans maintenant, partageant toujours le même idéal et les mêmes aspirations. À la base, nos valeurs étaient les mêmes et elles le sont demeurées jusqu'à ce jour...

Je fus le principal témoin de l'agir de M. Boissé, mon mari. J'en suis honorée.

La vie n'a pas été plus facile pour nous que pour beaucoup d'autres, mais nous avons pu traverser nos épreuves les yeux fixés sur notre étoile, la bonne!

Au soir de notre vie, c'est à deux que nous pouvons rendre grâce pour ce « savoir vieillir » ensemble. Nos enfants font notre joie et sont notre consolation. Nous en sommes très fiers! Pour eux, ce « volume de vie » est un héritage précieux s'ils savent lire entre les lignes, même les lignes croches...

Le soir descend... il nous faudra partir comme des étoiles filantes... Mais nous sommes assurés du paradis, car nous vivons déjà dans son parvis, ici, à la Résidence St-Pierre, Rouyn-Noranda, Québec.

G'Berthe Bourgault Boissé

Hilaire Boissé

Gilberte Bourgault Boissé

Le triomphe est de savoir que notre amour est issu d'une vie remplie d'*espérance*, dont la liberté et la foi se manifestent jour après jour au plus profond de nos coeurs.

La vie d'un homme ordinaire, Hilaire Boissé, telle que racontée par lui-même.

Mes origines

Je suis né le 12 janvier 1922 au cours d'une tempête de neige qui bloquait presque les routes. Mon père raconte qu'il avait eu beaucoup de difficultés à se rendre à Lawrenceville avec sa jument qu'il appelait *la Tops* pour aller chercher le médecin qui devait assister ma mère à l'accouchement.

Deux jours plus tard, le 14 janvier, alors qu'on célébrait – d'après le calendrier liturgique de ce temps – la fête de saint Hilaire, on me faisait baptiser à l'église de Notre-Dame de Bonsecours, ma paroisse natale.

Ma marraine et mon parrain furent Amanda Lemay Larrivée et son mari Joseph. Ils demeuraient à 12 milles de chez nous, à Valcourt. Ma marraine était la sœur de ma mère. On me donna le nom de Joseph Gérard Hilaire. Ma mère a décidé que je m'appellerais Hilaire parce qu'elle avait un cousin qui était fin, joli et gentil (à ses yeux, tout pour se faire aimer); elle témoigna donc de son admiration pour lui en me donnant le même prénom que portait Hilaire Couture.

Mon père était agriculteur, par tradition et par goût. Ses ancêtres sont originaires de la France. Au cours des années 1600, les premières familles arrivent au Canada et s'établissent dans la région de Cap St-Ignace dans le comté de l'Islet. À leur arrivée, ils portaient le nom de Bossé, mais au fil des ans, pour des raisons qu'on ignore, quelques-uns changèrent leur nom en quittant le Bas-du-Fleuve.

Certains s'établirent à Montréal et décidèrent de s'appeler soit Bossy ou Boissy. Peut-être qu'avec un nom à consonance anglaise il était plus facile de se trouver un travail plus rémunérateur dans les milieux anglophones? Il faut rappeler qu'à cette époque la majorité anglophone formait l'élite décisionnelle qui était employeur.

Si nous poussons la recherche, nous découvrons que mon arrière-grand-père portait le nom de Sidoine Boissé, tout comme mon grand-père. Cet arrière-grand-père, on le retrouve à St-Hilaire de Rouville, et c'est de cette paroisse que mon grand-père est parti vers les années 1850 pour s'établir sur une ferme à défricher au 11e Rang de la paroisse de Bonsecours.

Ma grand-mère Boissé, née Joséphine Lapalme, me racontait que les premières années de cette période de colonisation des Cantons de l'Est, ces rangs prospères d'aujourd'hui étaient recouverts d'une épaisse forêt.

Au tout début, le bois n'avait aucune valeur marchande; on le faisait brûler et seule la meilleure partie – la plus pure – des cendres avait une valeur commerciale. Elle servait à faire de la potasse. On la transportait à dos d'homme dans des sacs de jute. Il fallait marcher une vingtaine de milles, soit vers Waterloo ou Sherbrooke, et ce, par beau temps. La pluie aurait dilué le produit et se serait écoulée à travers le jute, brûlant le porteur. Celui-ci, pour se protéger de l'humidité provoquée par la transpiration, devait placer des écorces d'arbre entre le sac et son vêtement.

Le produit de la vente de cette cendre était utilisé pour l'achat de sel, poivre, épices ou autres provisions qu'on ne pouvait produire sur place.

Le premier débouché a été pour la vente du bois carré de 20" x 20", acheté par une compagnie de l'Angleterre. L'hiver, on le transportait en *sleigh* à la voie ferrée la plus proche, soit à Richmond.

Mon grand-père Sidoine avait acquis une grande habileté à manipuler les billes de bois. Sa réputation était faite auprès de ses voisins pour sa force, ce qui faisait dire à des gens qui avaient travaillé avec lui qu'à 50 ans, ils se considéraient comme des petits gars à côté de lui qui en avait 75 et qui taillait encore le bois de chauffage pour l'hiver suivant!

De ce que je me souviens de la famille Boissé (oncles, tantes et arrières du côté de mon grand-père), c'est qu'ils étaient tous reconnus pour leur calme, leur bon jugement, leur sens des responsabilités et leur esprit de travail qui ne se démentait pas.

Du côté de ma grand-mère Boissé, les Lapalme n'avaient pas toutes les qualités que nous retrouvions facilement chez les Boissé. Entre autres, elle avait un frère qui était très près de ses sous et ça se retrouvait partout dans son comportement. Par exemple, quand son pantalon perçait au genou par l'usure, il le coupait au-dessus du trou, tournait l'avant en arrière et le recousait ainsi, de sorte que la pièce qui aurait dû apparaître en avant du genou paraissait en arrière. Aussi sur l'honnêteté, il était assez large : lorsque déménagé au village sur ses vieux jours, il refit le solage de sa maison en ciment, et pour ce faire il ramassait du gravier dans le chemin par les nuits. Sur la ferme, il avait toujours laissé croire à ses enfants que c'étaient les sauvages qui apportaient les veaux au printemps. Mal lui en prit, son manque de clarté dans les communications lui joua un très mauvais tour un de ces printemps. Pendant qu'il était parti au village, son grand gars de 14 ans arriva à l'étable et aperçut une vache en train de vêler. En l'entendant beugler et voyant cet énorme corps étranger émerger du vagin, il crut qu'elle était prise d'une maladie rare. Il décida donc sur-le-champ de l'abattre plutôt que de la laisser souffrir. Pas trop bête, à l'arrivée de son père, il avait déjà sorti la vache morte à l'extérieur et était en train de lui enlever la peau. Son père lui demanda des explications et il lui répondit qu'il n'avait fait que ce qu'il lui avait toujours enseigné : tuer un animal plutôt que de le laisser souffrir.

Ma mère a perdu son père, Thomas Lemay, décédé dans la quarantaine alors qu'elle n'avait qu'une douzaine d'années. Elle a donc été élevée par sa mère, qui ne s'est pas remariée. Son beau-frère Arthur Lemay demeurait avec eux au moment du décès de Thomas. Il semble qu'il se soit donné comme vocation de demeurer avec la famille et d'en être – par son travail sur la ferme – le père nourricier. On retrouvait ces sortes de vocations au cours du siècle passé. Ils vécurent comme frère et sœur sur cette ferme du Rang A défrichée par les Lemay. C'est aujourd'hui la propriété de ma sœur Éva.

Ma grand-mère maternelle s'appelait Mélina Hudon. Après que ses sept filles eurent quitté la maison, la ferme a été vendue. Elle a ensuite emménagé au village de Bonsecours, dans une belle grande maison qu'elle gardait toujours très propre. L'oncle Arthur avait acheté un lopin de terre près du cimetière; il y récoltait suffisamment pour nourrir une vache et un cheval. Il utilisait ce cheval presque tous les jours pour se rendre chez mes parents, aider mon père aux travaux de la ferme. Les membres de la famille Lemay étaient très généreux, accueillants, d'une grande foi; tous savaient voir la Providence dans le moindre événement. Toutes mes tantes ont élevé de belles familles nombreuses, sauf tante Ludivine qui a toujours été maladive. Elle est décédée après un deuxième mariage, sans avoir eu d'enfant. Elle était d'une grande délicatesse et avait un talent extraordinaire pour la cuisine et la couture. Aussi, une autre qui n'a pas eu de mari, mais une grande famille : Marie-Emma, devenue Sœur Ludivine-Marie. Elle est entrée jeune chez les sœurs de la Providence où elle a été responsable d'une cuisine pendant une cinquantaine d'années.

Photo de Moïse Boissé et de Marie-Rose Lemay,
le jour de leur mariage, le 31 décembre 1918.

Au cours de l'été, dans la période où le bois résineux pouvait être écorcé en le bûchant pour la pâte à papier, mon père allait travailler en dehors de la ferme paternelle. Alors, il se retrouva sur un petit chantier dans un boisé voisin de la ferme des Lemay, au Rang A de la paroisse de Bonsecours. Malheureusement, un jour il se fit une entaille à la jambe avec sa hache et, voyant qu'il n'avait rien pour arrêter le sang ni se faire un pansement, il se rendit à la résidence de la ferme des Lemay. Comme par un heureux hasard, Marie-Rose, ma mère, se trouvait là. Elle nettoya sa plaie, fit un pansement temporaire, attela un cheval et conduisit son patient chez le médecin. Ce fut leur première rencontre. Il semblerait que ma mère s'est découvert ce jour-là un goût et une joie particulière à s'occuper de son futur mari, Hormidas. Celui-ci comprit très vite que, blessé ou pas, il ne pourrait trouver meilleure compagne de vie.

Le 31 décembre 1919, ils se mariaient dans l'église de Bonsecours et aménageaient dans une ferme située sur le 10e Rang de Bonsecours; mon père l'avait achetée quelques années auparavant. Sur cette petite exploitation agricole dont je me souviens à peine, ils gardaient une dizaine de vaches laitières, quelques porcs, des moutons – seulement pour la laine, parce qu'on n'était pas amateurs de viande d'agneau –, des poules et des abeilles. Il y avait aussi une petite érablière.

Dans les souvenirs qui me restent de cette ferme, c'est qu'il n'y avait pas d'eau courante à la maison, ni à la pompe. Il fallait aller chercher l'eau à l'extérieur, au puits; il y en avait toujours deux seaux sur un petit évier en bois non peint.

Aussi, lorsque notre père n'était pas arrivé le soir et que maman devait aller faire le train, elle nous emmenait à la grange et couchait le petit dernier, bien emmailloté, dans une auge. On le surveillait tout en la regardant faire ses travaux. Parfois aussi, on gardait à la maison et toutes les 15 minutes, elle venait voir comment ça se passait. C'est aussi sur cette ferme qu'un automne, j'ai vu pour la première fois une batteuse mue par un *horse power*, je trouvais donc que c'était une grosse machine, dont le mécanisme était des plus mystérieux. Deux beaux gros chevaux faisaient marcher le tapis roulant. J'ai aussi en mémoire le chapeau blanc avec un voile que mon père portait lorsqu'il faisait l'inspection de ses ruches, à différents moments de la saison.

Déménagement au Rang A

La possibilité d'agrandissement de la ferme du 10e rang était limitée, mais ce qui n'était pas limité, c'était la famille – ce n'était pas la mode dans le temps. Après la naissance de Marie-Anna, la 5e enfant – Rita, l'aînée, était décédée de la coqueluche à 10 mois – il y avait déjà 6 bouches à nourrir en incluant les parents. J'avais environ 5 ans, 2e de la famille, et je me souviens des discussions de mes parents sur des projets pour augmenter les revenus de la ferme sans que mon père soit obligé de s'absenter pour aller travailler en dehors du foyer. Ma mère disait : « On va confier ça à St-Joseph », qui, à ses yeux, était un modèle de père de famille à imiter. Donc, au cours des mois suivants, il arriva ceci : grand-mère Lemay, qui avait vendu sa ferme à crédit, fut obligée de la reprendre parce que l'acquéreur était devenu insolvable. Les tractations ont duré tout l'été et on entendait parler de déménagement.

À mon petit âge, je trouvais ce projet très lourd pour mes parents, une mission presque impossible, parce que dans mon esprit, déménager les animaux, les récoltes et les instruments aratoires, ça allait... mais déménager les arbres, les champs et l'érablière, ce qu'il y en aurait des voyages à faire! Dans quelle sorte de voiture le feront-ils? Comment s'y prendront-ils pour le faire? Alors, un bon jour, j'ai osé faire part de mes préoccupations et de mes angoisses à ma mère; elle m'a bien rassuré en me disant que bâtisses et fond de terre ne faisaient pas partie du déménagement. Mes inquiétudes à ce sujet se sont aussitôt envolées, et avant les premières neiges on était déménagés sur la ferme paternelle de ma mère. La maison était beaucoup plus vaste et mieux finie, car la famille Lemay était très habile en menuiserie. C'était en partie l'œuvre de l'oncle Arthur.

Une grande commodité que j'ai connue pour la première fois, c'était une pompe pour l'eau domestique, installée à même l'évier de la cuisine. Par contre, quand le puits s'asséchait on devait retourner à l'ancienne méthode, soit puiser l'eau à la chaudière dans un autre puits situé tout près de la maison. Mon père avait un peu de difficulté à disposer de sa ferme du 10e Rang. Pour en finir, il avait dû accepter en échange une maison au village, à laquelle était attenante une grande écurie. Elle servait le dimanche pour les cultivateurs des rangs, qui y louaient une place pour 3 $ l'an, pour que leur bête y soit à l'abri durant le temps de la messe. Comme la maison était bien placée – voisine de la boutique du forgeron –, il a fini par réussir à vendre le tout à un cultivateur qui prenait sa retraite.

Durant le premier été où nous étions installés sur la ferme du Rang A, il a failli arriver un malheur. Rares étaient les moments où nos parents nous faisaient garder pour s'absenter tous les deux afin de récolter le foin sur la terre de mon oncle Arthur. Ce jour-là, c'était grand-mère Boissé qui nous gardait, et on lui avait échappé, tout le petit troupeau d'enfants, pour une excursion sur la terre d'en face qui appartenait au cousin Hormidas Berthelette. Au pied d'un rocher, il y avait une petite excavation qui avait été faite par des chercheurs d'amiante. Il s'y était formé une mare d'eau, peuplée de grenouilles qu'on prenait plaisir à agacer. Le bébé Paul-Émile, qui commençait à marcher, a glissé sur une pierre vaseuse et est tombé face première dans la mare. Alors, nous les plus vieux, plutôt que de le prendre par sa jaquette et de le retirer au plus vite, nous sommes tous partis en courant dire à grand-mère que le bébé s'était noyé. Ma grand-mère avait près de 70 ans, et c'est bien la première fois que je voyais une personne de cet âge courir aussi vite. Arrivée au bord de la mare, elle le *gaffa,* selon son expression, et le sortit de l'eau. Elle demanda à l'un d'entre nous d'aller chercher le voisin, Arthur Gagnon. L'enfant avait l'air mort, mais on convint de le placer sur la table de la cuisine et de le rouler afin de lui faire vomir l'eau qu'il avait avalée. Le truc s'est révélé bon, au bout de cinq minutes il commençait à vomir cette eau verte et toute limoneuse qu'il avait avalée. Une demi-heure plus tard, il recommençait à marcher, mais se disait fatigué. Alors, dans son langage bien à elle, grand-mère lui dit : « Mon *fan, vient* dormir un somme, et après ça ne paraîtra plus ». Elle avait raison, lorsque les parents revinrent pour le souper, l'enfant courait dehors. Nos parents nous ont formellement défendu de nous approcher des trous d'eau, et particulièrement de celui-là. La leçon a servi à toute la famille puisque pas un ne s'est noyé et, quinze ans plus tard, on faisait encore un grand détour pour ne pas s'approcher de cette mare d'eau qui a toujours rappelé à tous un bien mauvais souvenir.

Enfance

Je me souviens du temps où maman nous apprenait nos prières : le *Je vous salue Marie* d'abord, précédé du signe de croix, ensuite le *Notre Père,* le *Gloire soit au Père,* le *Je crois en Dieu* et les *actes de foi, d'espérance, de charité* et *de contrition,* sans oublier les commandements de Dieu et ceux de l'Église. À mon meilleur souvenir, ces séances d'éducation religieuse se déroulaient pendant qu'elle filait la laine avec son rouet. C'était un travail qui n'était pas bruyant, tout comme lorsqu'elle pelait ses patates. Tous les matins, chacun faisait à genoux une prière individuelle, soit dans sa chambre ou dans la cuisine. Mais le soir, c'était la prière en famille, à genoux dans la cuisine, plus ou moins longue dépendant des périodes suivantes : le carême, le mois de St-Joseph, le mois de Marie et le mois des morts. Pour chacun de ces mois, il y avait récitation d'une prière et neuvaine de litanies différentes.

En vieillissant, le nombre de priants augmentait. L'auditoire était plus vulnérable aux distractions. Un rien pouvait mettre fin à la rencontre de prière familiale. Je me souviens qu'un soir avant la prière ma mère était allée chercher un morceau de viande gelée dans sa réserve et l'avait placé sur la table pour qu'il dégèle en prévision d'un repas du lendemain. Nous avions un beau chien couché au bout du poêle qui observait toujours ce qui se passait dans la maison; il observait sans qu'on s'en rende compte la belle pièce de viande sur la table et avant la fin de la prière il s'est levé lentement, a placé une patte sur le bord de la table, et d'une *gueulée* s'est emparé devant toute la famille du morceau de viande pour le manger en arrière du poêle. Ce fut la fin de la prière. Papa lui a fait lâcher le morceau de viande et le fou rire mit fin au sérieux.

Scolarité

Mai 1929, mes parents décidèrent de m'envoyer à l'école au coin du Rang A. Ma soeur Rose-Aimée, d'un an plus vieille, avait déjà commencé. Bien entendu, c'était la fin de l'année scolaire, question de m'apprivoiser pour être mieux préparé à débuter en septembre. Un mille et demi de l'école sans aucun voisin; les premiers jours, ma mère était inquiète. Lorsqu'il faisait tempête, mon père venait nous conduire le matin et nous chercher le soir à quatre heures.

Face à l'école, il y avait un bâtiment pas trop vieux, complètement abandonné. Lorsqu'on arrivait assez tôt, on se permettait de satisfaire notre curiosité; c'était une ancienne fromagerie de l'époque où il y en avait une dans tous les rangs. Il y avait eu un tournant dans la transformation du lait. Nous étions rendus au temps où chaque cultivateur avait son *centrifuge*, où le beurrier du village achetait la crème pour en faire le beurre.

À cause de la distance qui nous séparait de l'école, certains hivers, nos parents nous avaient placés en pension chez des amis, soit chez Ambroise Corbeil ou Wilfrid Bouthillette. Un hiver, l'institutrice avait accepté que l'on demeure dans ses appartements au deuxième étage de l'école.

Étant le garçon le plus âgé de la famille, j'ai dû rester souvent à la maison et « manquer l'école » comme on disait dans le temps. C'est pourquoi je n'ai jamais fréquenté l'école pendant toute une année scolaire. On commençait en septembre, mais à la fin du mois c'était un arrêt de quelques jours pour la récolte des patates. Début octobre, un autre arrêt de quelques jours pour la récolte des *choux de Siam* (supplément de nourriture pour les vaches). Fin novembre, début décembre, un autre arrêt d'une quinzaine de jours pour la coupe du bois de chauffage pour l'hiver suivant. En janvier et février, s'il y avait une grosse tempête on pouvait être une semaine sans sortir parce que les chemins étaient bloqués. Début mars, c'était le temps d'aller à l'érablière pour l'entaillage des érables, 700 à 800 chaudières. On peut dire que les activités scolaires étaient entrecoupées de plusieurs absences. En mai et juin, il fallait rester à la maison certains jours de beau temps, soit pour ramasser les roches dans les champs à ensemencer ou bien pour planter les patates.

À 14 ans, au mois de mai, après avoir « marché au catéchisme » pour la communion solennelle, je n'avais plus le goût de retourner à l'école. Mon père n'a pas insisté, il avait besoin de moi; c'est ce printemps-là qu'il avait décidé de poser l'eau courante par gravité pour la maison et la grange.

Il avait découvert une source à 1 600 pieds de la maison, il y avait donc la rigole à creuser assez profondément pour être à l'abri du gel en hiver. Par la suite, il fallait poser les *pompes logs* soit des billots de 10 pieds qui avaient été perforés avec une tarière de 2 pouces par un robuste cousin, Conrad Simoneau.

Mon cours primaire était donc terminé, je n'étais qu'en quatrième année. Mes trois dernières années, à cause de mes nombreuses absences, se sont passées dans la classe de quatrième année. Selon ma mère, on n'avait pas changé d'institutrice et dans chacune des divisions d'élèves (il y en avait sept), elle faisait redoubler un élève ou deux afin que ses classes fassent bonne figure au passage de l'inspecteur, celui-ci faisant l'évaluation de l'institutrice d'après le résultat des examens qu'il faisait passer aux élèves.

À ce moment de mes 14 ans, je pensais bien que je ne retournerais plus jamais étudier. Les jeunes de mon milieu se disaient qu'on en savait assez pour traire les vaches et tenir les manchons d'une charrue. Réflexe du temps très agricole.

Alors que j'avais 16 ans, il se fondit dans la paroisse un

cercle de jeunes agriculteurs et de jeunes éleveurs, et ce, sous la direction d'agronomes du comté de Shefford. Je me suis beaucoup plu à participer aux activités fort intéressantes préparées par les animateurs de ces deux organismes.

C'était avant la guerre 39-45, il y avait beaucoup de chômage et à la suite d'une entente des deux niveaux de gouvernements, on avait organisé des cours qu'on nommait postscolaires afin d'occuper les jeunes, ce qui était une belle occasion de se faire des amis en dehors de ceux de notre rang.

Dans le cercle des jeunes agriculteurs, plusieurs cours et concours nous étaient proposés sur toutes sortes de sujets de la vie rurale; je m'y étais intéressé d'une façon particulière sans me soucier qu'il y aurait évaluation et récompense à la fin du concours. Quelle ne fut pas ma surprise d'apprendre de la part de l'agronome du comté et du frère Fabius (directeur de l'école d'agriculture de Saint-Césaire), que j'étais l'heureux gagnant d'une bourse d'études m'offrant l'occasion de suivre un cours de 6 mois à une des écoles d'agriculture du Québec de mon choix!

Le directeur de l'école d'agriculture de St-Césaire me laissa un prospectus pour éclairer mon choix. Dans les jours suivants, j'ai reçu d'autres prospectus des écoles d'Oka et de Ste-Anne de la Pocatière.

À cette époque, on ne faisait pas de choix de cette importance sans consulter le curé de la paroisse. Mi-octobre 1941, le curé Poitras vint nous rendre visite à mes parents et moi. Il nous informa qu'il avait recruté trois autres jeunes pour aller étudier au collège agricole et commercial de St-Césaire et qu'il viendrait nous y conduire. Donc, Jean-Paul Gagnon et Gérard Rougeau suivraient le cours agricole tandis que Laurent, le frère de ce dernier, s'inscrivait au cours commercial.

À mon entrée, la direction me fit passer un test d'évaluation pour savoir à quel niveau je devrais être placé pour les cours suivants : histoire, français, commercial, anglais et géographie. On me plaça donc pour ces cours avec les élèves de cinquième. Je me retrouvai avec des jeunes de 12 à 16 ans dont la majorité était pensionnaires et venait d'un peu partout au Québec ainsi que des États-Unis. À 19 ans, c'était agréable de retourner sur les bancs d'école. Une journée de cours me valait autant qu'un mois de petite école.

Nous consacrions deux heures par jour aux études spécifiquement agricoles sous la responsabilité de deux frères de la congrégation Ste-Croix qui avaient fait des études en agronomie. Frère Fabius et Frère Éloi étaient de très bons pédagogues. Frère Fabius était une vraie encyclopédie ambulante, très imagé dans son enseignement, avec des exemples frappants qu'on ne pouvait oublier. Par exemple, pour nous faire comprendre la réaction du froid et de la chaleur sur le métal : le pont Jacques-Cartier raccourcissait de 12 pouces sur sa longueur totale par un froid de - 30 ^{0}F. Un élève avait fait le commentaire qu'on devrait réduire le coût du billet. Le frère lui a rétorqué que sa pièce de monnaie rapetissait elle aussi à cette température. Il faut dire qu'à cette époque il fallait payer un droit de passage pour utiliser ce pont.

C'était donc toute une révélation pour moi de me retrouver aux études. Je suis retourné passer les fêtes de Noël et du Jour de l'an dans la famille. Ce fut une occasion de constater la distance que mes amis et cousins prenaient parce que je commençais à devenir un gars plus instruit qu'eux.

L'année scolaire pour le cours agricole se termine fin avril. Il faut penser se trouver un emploi pour gagner l'argent nécessaire afin de continuer ce cours qui dure deux ans et qui reprendra en novembre.

Le cultivateur pour qui j'avais déjà travaillé m'embauchait à 2 $ par jour, nourri et logé. Je me plaisais dans cette famille et je pouvais aller passer quelques heures avec mes parents le dimanche. Je leur racontais assez en détail les travaux exécutés au cours de la semaine. Ce cultivateur avait une ferme située en bordure d'un lac et vendait des terrains pour la construction de chalets. Les nouveaux propriétaires lui confiaient des travaux de terrassement et de construction de quais. Les employés de ferme que nous étions, un autre copain et moi-même devions nous lever à 4 h du matin pour soigner les chevaux que nous devions utiliser pour les travaux aux chalets. Nous devions aussi traire les 18 vaches, les alimenter, nettoyer l'étable, procéder à la pesée du lait de chaque vache – parce que le troupeau était suivi par un programme gouvernemental de contrôle laitier –, faire l'écrémage du lait et ensuite nous pouvions prendre le petit déjeuner avec la famille. Le tout devait se terminer assez tôt pour qu'on puisse être rendus au lieu des travaux à exécuter, avec chevaux et outils – à trois quarts de mille de la résidence – à sept heures. Comme c'étaient des travaux à l'extérieur, il arrivait parfois que la pluie nous arrête de travailler et que l'on perde une heure ou deux, alors, au moment de la paie, le patron nous enlevait 20 ¢ par heure perdue.

Ça révoltait mon père de m'entendre raconter un pareil traitement. Au bout de trois semaines, il me conseilla de laisser cet emploi et d'aller travailler à Waterloo, à la construction d'une usine de guerre où je me ferais un bien meilleur salaire. Le lundi matin, je donnais donc ma démission au fermier, lui disant que ce serait ma dernière semaine. Je le quittais à regret, car malgré quelques petites mesquineries, j'étais très heureux dans cette famille. Les heures étaient longues, mais j'étais récompensé par le climat familial et culturel que me plaisait. La femme du fermier était bien peinée de ma décision et elle m'avait offert d'augmenter considérablement mon salaire. Mais, rien à faire, ma décision était prise. J'allais tenter une nouvelle expérience, à la suggestion de mon père. Aussi, ça répondait toujours à mon petit côté aventurier. Encore aujourd'hui, je me demande si j'avais pris la bonne décision... L'été que j'ai passé m'a permis de vivre toutes sortes de situations. En banlieue de Waterloo, j'ai travaillé pour un entrepreneur qui construisait à une série de petits pavillons où on remplissait des douilles de métal avec des matières explosives pour créer des signaux lumineux pour l'armée. C'était pendant la guerre 39-45. Mais, le même problème que j'avais à cause de la pluie me rejoignait encore. Salaire : 30 ¢/h. J'ai donc décidé d'aller m'engager dans une fonderie qui opérait 24 heures par jour. Je me suis présenté à 6 h 15, et on m'a embauché à 25 ¢/h, mais à 11 h, un commis responsable de la paie passa pour compléter mon dossier et m'informa que le salaire de nuit était de 25 ¢/h, mais que celui de jour était de 20 ¢/h. Mon séjour de mouleur dans une fonderie s'est donc terminé le midi et en après-midi, je suis retourné travailler pour mon entrepreneur.

Au bout de quelques jours, des compagnons de travail m'ont proposé de les accompagner un samedi matin pour aller solliciter un emploi à la frontière américaine, où on commençait la construction d'un oléoduc allant de Portland (Maine) jusqu'à Montréal. J'y ai travaillé 15 jours, jusqu'au moment où il y a eu grève spontanée déclarée par un groupe d'employés. Ce groupe fut congédié sur-le-champ et le lendemain on congédia les autres, tous ceux qui n'avaient pas participé à la grève parce qu'ils travaillaient à un autre endroit, soit sur la construction du chemin d'arrivée au chantier, ce qui était mon cas. Tous furent congédiés. À cette époque, on n'avait pas les lois d'aujourd'hui pour la protection des travailleurs. J'ai donc pris le train de Highwater vers Montréal afin de tenter ma chance pour un emploi dans d'autres usines de guerre. À Sorel comme à Valleyfield, ils m'ont dit qu'à cause de mon âge ils ne pouvaient m'employer, et que je devrais aller m'enrôler dans l'armée canadienne. En retournant à Waterloo, je me suis arrêté chez un cousin à St-Césaire, Maurice Malouin, qui m'a dit qu'on commençait la construction d'une station de pompage pour l'oléoduc et qu'on cherchait des hommes. Le lendemain matin, empruntant la bicyclette du cousin, je me suis rendu au chantier, en campagne. En arrivant, quelle surprise, le commis qui engage les hommes est un ami qui était au collège avec moi l'hiver d'avant! Pas de problème, il m'a donné un outil et j'ai commencé à travailler. Mais à 10 h, le contremaître qui était au chantier de Highwater est arrivé et m'a reconnu. Il demanda au commis de m'exclure du chantier immédiatement. Je suis donc retourné à ma pension, à Waterloo chez Christian Marc-Aurèle, marié à ma cousine Germaine Berthelette. Ce cousin m'informa qu'à l'usine de contreplaqué on manquait de personnel. Le lundi matin, je repris donc mon vélo et pédalais jusqu'à Waterloo Plywood Ltd, où j'ai commencé à travailler à l'instant même à 25 ¢/h avec alternance d'une semaine de jour et la suivante de nuit. Au bout du mois, je me rendis à Bonsecours pour la fin de semaine. Des amis m'apprirent l'existence d'un chantier ouvert sur la route d'Eastman à Mansonville pour la coupe du bois de chauffage; salaire de 2 $ par jour, nourri et logé. Après un calcul rapide, c'était mieux que ce qui me restait à Waterloo après avoir payé ma pension.

J'embarquais donc avec les amis et filais vers ce chantier. Nous étions une dizaine d'employés, c'était agréable; les patrons ne parlaient pas français, sauf le gendre du propriétaire qui travaillait avec nous. Il avait l'expérience de la gestion de chantier parce qu'auparavant, il dirigeait des équipes de construction de lignes téléphoniques chez Bell Canada. Comme nous travaillions souvent à la pluie, un bon matin en ébranchant un arbre, ma hache a glissé et m'a entaillé le côté d'un genou. Ce contremaître m'amena à Magog, chez un médecin qui désinfecta la plaie et me fit deux points de suture en me suggérant de repasser dans un mois pour les faire enlever. Comme on ne voulait pas rapporter cet accident à la Commission des accidents du travail, question de garder un bon dossier, on m'octroya un congé payé et m'envoya chez mes parents en me recommandant de ne pas travailler.

À la maison, sur la ferme, mon père faisait la récolte des *choux de Siam*. Je me suis dit qu'après tout, arracher des *choux de Siam* ce n'était pas comme de bûcher. J'eus donc bien de l'agrément à travailler à la ferme avec mon père. Une dizaine de jours plus tard, je retournais au camp. Gérald Hays, le contremaître, examina ma plaie et me confia de petits travaux autour du camp; quelques jours après, je reprenais le travail, comme avant l'accident. Le 1er novembre, je reçus l'invitation du collège St-Césaire m'incitant à reprendre mes études pour terminer mon cours agricole. Je leur répondis que ma situation financière ne me le permettait pas pour le moment, mais de m'attendre début janvier, j'arriverai et j'essaierai de rattraper mes collègues.

Pour le congé de Noël, j'acceptais de garder le camp et de prendre soin des quelques chevaux pendant cette période. Heureusement, il y avait une radio à piles qui me gardait en communication avec le reste de la planète. Je ne sortis pas du chantier jusqu'au 31 décembre au midi. Les fêtes passèrent et le 7 janvier, je fus au collège pour la reprise des cours; on me plaça alors avec la classe de 6e année, dans le cours commercial. Fin janvier, sur la trentaine d'élèves que nous étions, j'arrivais premier de classe sur le bulletin scolaire. J'apprenais avec une facilité qui me surprenait moi-même. Fin avril 1942, mes études étaient terminées. Par la suite, je suivis des cours d'appoint sur différents sujets.

À l'hiver 1943, le curé de Bonsecours me proposa des cours sur la coopération et le syndicalisme. Ces derniers se donnaient dans la ville de Sherbrooke. Nous avons eu des professeurs formidables, entre autres Gérard Filion, qui à cette époque était secrétaire général de l'Union catholique des cultivateurs. Très bon pédagogue, une heure trente nous paraissait 15 minutes! Il nous partageait les souvenirs de son année d'études en Europe. Pour ce qui est de la gestion des coopératives, Henri C. Bois, P.D.G. de la Coopérative fédérée avait été remarquable en nous racontant son vécu. Pour les caisses populaires, c'était le praticien Fidèle Béliveau qui nous avait initiés à la tenue de livres d'une Caisse. J'ai retenu que la première écriture à faire sur une feuille de comptabilité était la date.

En voyageant de ma pension à la salle de cours, par hasard, j'ai rencontré le contremaître d'une équipe de construction de lignes téléphoniques à l'œuvre sur la rue; c'était celui qui avait été contremaître du chantier en 1941 et qui m'avait conduit chez le médecin après mon accident. Il me dit qu'il avait revu dernièrement ce médecin, celui-ci lui s'était informé à propos du patient à qui il avait fait des points de suture au genou et qui ne s'était par présenté pour les faire enlever. Le contremaître lui a expliqué qu'ayant pris des cours de premiers soins, il s'était occupé de vérifier la guérison de la plaie et qu'un bon jour, il a désinfecté son couteau de poche à la flamme de son briquet et a enlevé des dits points sans trop causer de douleur.

À la fin de ces cours, je me demandais bien quand je me servirais de ce que j'avais appris. L'avenir s'est chargé de me donner une réponse.

MINISTÈRE DE L'ÉDUCATION

QUÉBEC

Équivalence de niveau de scolarité

Nous, soussignés, attestons que ___Hilaire Boisé___

né (e) le ___12 janvier 1922___

a subi les tests d'équivalence prescrits par la Direction générale du

développement pédagogique et a obtenu les résultats suivants:

Français, connaissances de base	72 % en 19 82
Français, compréhension de texte	58 % en 19 82
Anglais	51 % en 19 82
Mathématiques	51 % en 19 82
Sciences commerciales	92 % en 19 82
Sciences humaines	82 % en 19 82

En foi de quoi nous lui reconnaissons une équivalence de niveau

de scolarité de ___cinquième___ secondaire.

___Montréal___ , le ___5 avril 1982___

Alain Mercier
Coordonnateur
Service de la certification

Guil Vachon
Directeur
Direction de l'évaluation pédagogique

Ministère de l'Éducation, Équivalence de niveau de secondaire V.

Mai 1942, mon confrère de l'école d'agriculture, Jean-Paul Lasnier, me proposa d'aller travailler avec lui à la ferme de son père qu'il devait acquérir puisqu'il est l'unique garçon dans la famille. Ce fut une belle expérience tant pour le travail que pour vivre dans une famille différente. C'était une ferme laitière moyenne avec quelques cultures spécialisées, comme le tabac et la betterave à sucre, cultures disparues aujourd'hui.

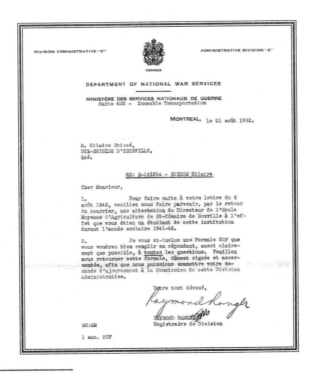

Lettre du ministère des Services nationaux de guerre demandant divers documents pour obtenir une exemption de service militaire.

Le climat familial était chaleureux; Jean-Paul avait des parents qui avaient le sens de l'humour. La grand-mère habitait le deuxième étage et ne quittait pas le lit. Elle n'était pas sourde et suivait tout ce qui se passait dans la maison en faisant ses commentaires à sa belle-fille et à sa petite-fille Irène. Par exemple, lorsque madame demandait à Irène d'aller chercher un pot de confiture dans l'armoire, elle lui lâchait un cri : « Apporte les plus sûres! » et si c'était un pain, elle disait : « Apporte le plus moisi! » Dans l'ensemble, nous avions de bons repas. Je n'ai pas eu à me plaindre, sauf une fois où nous étions allés à la pêche de nuit à Saint-Paul-de-l'Île-aux-Noix, on avait rapporté pas mal de poissons et madame ne voulait pas en gaspiller. C'est pourquoi, au dernier repas, le poisson commençait à sentir, mais il était tout de même mangeable. Le père de Jean-Paul, Ulric, s'en fit servir une deuxième fois et sa femme de lui demander : « Comment, tu trouves qu'il ne sent pas bon et tu en redemandes? » Ce à quoi il répondit : « C'est pour enlever l'odeur! »

En septembre, ma mère m'écrivit que son oncle Frédéric Lemay, un voisin qui avait une vraie belle ferme bien bâtie, avait décidé de la vendre et que si la chose m'intéressait, de me présenter. Les gros travaux étant terminés sur la ferme, Jean-Paul me donna congé et me conduisit chez mes parents.

J'ai rencontré l'oncle Frédéric, mais il avait choisi de vendre à son fils Georges qui tenait une boucherie dans le village voisin, à Racine. Comme mon père désirait m'aider à m'établir sur une ferme, il m'a accompagné chez Hormidas Allaire qui demeurait près du cimetière de

Bonsecours, mais ce dernier n'était pas complètement décidé à vendre sa ferme.

Tout compte fait, j'ai finalement participé à certains travaux chez des particuliers et j'ai également pris part à l'installation de tuyaux d'égouts dans le village, pour la municipalité de Bonsecours. Aux neiges, avec un cousin de mon père, Conrad Simoneau, j'ai travaillé pour le fermier Archambault qui avait un commerce de grains d'alimentation et une terre à bois. J'ai aussi été aide-fermier chez quelques autres cultivateurs, tel que Nazaire St-François qui avait une ferme dans le village de Bonsecours, et ainsi que chez Romain Boudreau. Par la suite, le fils de Monsieur Boudreau a travaillé comme commis dans les chantiers à Baie-Comeau et ce n'est qu'un peu plus tard que je l'ai initié à devenir coutier d'assurances à Amos.

Mon pied-à-terre était toujours chez mes parents et je travaillais avec mon père aux travaux de la ferme. Voisine de nos terres, il y avait une terre à bois d'au moins mille acres qui appartenait à un anglophone d'Eastman. J'essayais de persuader mon père d'en acheter une partie afin d'aller chercher un revenu par la coupe du bois, qui se vendait bien soit pour le chauffage ou le déroulage. Je ne réussis pas à le convaincre, une entreprise de ce genre lui paraissant une montagne.

Comme mes deux frères étaient maintenant d'âge à faire des travaux forestiers, nous sommes allés marcher une partie de ces terres afin d'y vérifier le potentiel de la forêt pour ainsi effectuer la coupe de bois. Et puis, on décida d'approcher le propriétaire avec lequel on convint de *faire chantier* (cette expression veut dire, effectuer la coupe de bois) et de le payer en proportion du bois récolté. Il y avait un petit camp de construit, alors on aménagea tous trois dans ce camp, et on construisit une écurie pour les chevaux, ainsi qu'un autre camp pour les employés. Nous avons travaillé très fort, mais sans arriver aux résultats espérés. Paul-Émile, qui aimait beaucoup la mécanique, proposa que l'on achète un camion pour le transport de notre bois. Hubert et moi n'étions pas très d'accord, mais finalement, pour éviter qu'il s'en aille seul dans cette aventure, on s'est ralliés. On a dû vivre ensuite avec notre erreur : l'achat de ce camion usagé pour lequel nous n'avions aucune expérience de manœuvre. En effet, il nous en a coûté plus cher de transporter notre bois nous même, que d'avoir utilisé les services d'un entrepreneur!

Printemps 1946, l'école d'agriculture Noé-Ponton était en construction à Sherbrooke. Le directeur général est l'aumônier diocésain de l'UCC (Union catholique des cultivateurs, devenue UPA [Union des producteurs agricoles]), tandis que le directeur de la ferme est l'abbé Édouard Comeau, aumônier diocésain de la Jeunesse agricole catholique (la JAC). Tout est à faire, c'est un beau défi. Comme président diocésain de la JAC depuis 2 ans, je côtoyais souvent ces deux leaders. Ils m'ont fait venir à Sherbrooke et m'ont proposé de m'engager comme fermier pour l'organisation de cette ferme.

Poursuivant ma réflexion sur mon rêve d'avoir un jour ma propre ferme et réfléchissant sur le peu de succès que j'avais eu avec mes frères en forêt, nous nous sommes mis d'accord tous les trois pour que je me retire et qu'on me

Président de la Jeunesse Agricole Catholique (J.A.C.)
du diocèse de Sherbrooke, de 1944 à 1949.

donne 1 000 $ en compensation des investissements personnels faits dans l'entreprise.

Le fait de choisir un directeur de ferme qui avait fait son cours agricole à St-Césaire et qui de plus était le président diocésain de la JAC donnait de la crédibilité à la direction de l'école.

Il y avait une autre situation qui n'était pas claire : j'avais eu un accident d'auto et ma compagnie d'assurances refusait de me couvrir, j'étais poursuivi pour 2 000 $. Tout cela retardait la réalisation de mon rêve d'être fermier et de fonder une famille. Donc, j'ai accepté la tâche, plongeant dans l'inconnu. Il fut agréable de procéder aux achats d'équipements de toutes sortes, en passant par les petits outils jusqu'aux tracteurs, charrues, faucheuses, presse à foin et, plus tard, un troupeau de bœufs de boucherie.

J'avais beaucoup de patrons, c'était difficile de plaire à tout le monde. Après plusieurs mois, on convint d'engager un cultivateur d'expérience, Danias Messier, qui avait toujours travaillé avec son père sur une ferme à Bromptonville. On a eu de l'agrément à travailler ensemble. Deux ans plus tard, voyant ma succession assurée pour cette tâche – quand même pas désagréable – et la page étant tournée pour le règlement de l'accident d'auto, mon rêve de m'acheter une ferme pour m'y établir et fonder une famille s'est ravivé. De plus, je réalisais que j'étais plus heureux à diriger ma propre entreprise qu'à être au service d'un entrepreneur. Comme on dit, je me situais dans la catégorie de personnes qui conduisent plutôt que celles qui se laissent conduire!

J'ai donc laissé l'école Noé-Ponton après m'être entendu avec mes trois patrons, soit : Danias Messier, le fermier; le chanoine Armand Malouin, directeur général de l'école et enfin, l'abbé Édouard Comeau, directeur de la ferme et toujours aumônier diocésain de la JAC. J'étais encore président diocésain de ce mouvement.

C'était décidé, j'irais dans les chantiers forestiers afin de gagner l'argent nécessaire pour m'acheter une ferme et ainsi réaliser mon rêve. Je partis seul et me rendis à Cookshire, près de la frontière américaine où des entrepreneurs forestiers recrutaient des bûcherons.

À peine arrivé, un petit entrepreneur québécois m'engagea pour faire de la coupe de bois sur des fermes boisées à Colebrook, New Hampshire. Il nous amena avec quelques autres recrues, dont un cuisinier – celui qui était au chantier de bois de chauffage quelques années auparavant, à Mansonville. C'est la seule personne que je connaissais, et non la meilleure : c'était un malheureux alcoolique qui devait *prendre sa brosse* au moins toutes les deux semaines. Heureusement, il était bon cuisinier!

Nous étions logés dans une maison de ferme abandonnée. Deux ou trois par chambre, sans lit, ni matelas, ni couvertures. Il s'agissait de couper du bois, en dimension de morceaux de 4 pieds, autant le résineux que le feuillu. Je ne me souviens pas exactement sur quelle base nous étions rémunérés. C'était sûrement à forfait parce que j'apportais ma nourriture pour le midi et le soir, ne prenant que le déjeuner au camp, question de pouvoir gagner plus. Tous les dix jours, nous avions un chèque de paie que j'envoyais à mon père pour qu'il le dépose dans mon compte à la Caisse populaire de Bonsecours. Au bout d'un mois et demi, ma mère me retourna mes chèques : ils étaient sans provision… Mes autres collègues étant dans la même situation, on décida de quitter le chantier après avoir réussi à se faire donner quelques dollars et on passa la fin de semaine dans un petit hôtel de Colebrook. Quelques gars de notre groupe ont consommé plus que la paie qu'ils avaient reçue; j'ai donc dû en dépanner quelques-uns en leur avançant dix ou vingt dollars, je ne me rappelle pas trop. Je les ai perdus de vue, de même que mes avances.

Le lundi matin, on était tous embauchés par la St-Regis Paper, dont la papetière se situait en ville et le chantier à une trentaine de milles en forêt. Toute notre équipe, cinq ou six gaillards, arriva dans un beau grand camp forestier d'une centaine d'hommes. Un du groupe réussit à se faire engager comme aide-cuisinier. Les autres – dont je faisais partie – furent conduits sur le parterre de coupe où ils seraient payés tant de la corde coupée, cordée sur le chemin qu'ils devaient défricher eux-mêmes.

Il s'agissait d'une forêt de grosses épinettes de 15 à 20 pouces de diamètre, éparpillées à travers une densité jamais vue d'arbustes qui encombraient le terrain. Au dire de mes collègues, il était impossible de se faire des salaires dans de telles conditions. Dans notre groupe, un gars dans la trentaine, très bon bûcheron, me proposa de quitter les lieux pour aller à un endroit qui nous était recommandé par deux jeunes qu'on appelait les petits Baillargeon – cousins des Baillargeon de Bellechasse, reconnus pour leur force herculéenne. Ils connaissaient un ami de St-Magloire de Bellechasse, M. Dion, qui était entrepreneur pour Price Brother dans le parc des Laurentides, le long de la route de Chicoutimi.

Ces chers Baillargeon suggérèrent de tenter notre chance du côté de Québec. Malheureusement, sans le sou, ils ne purent nous accompagner. Mon ami Thériault et moi n'avions pas envie de leur prêter de nouveau de l'argent. Je quittais donc le chantier avec ce nouvel ami et on se rendit à Sherbrooke en autobus. Tôt le lendemain matin, on prit un autre autobus vers Québec, cette fois. En descendant, nous avons filé au bureau d'engagement de la papetière Price et on nous a engagés sur le champ, sans même qu'on ait le temps de prendre un lunch. Après avoir parcouru environ 125 milles en camionnette – de Québec au chantier de la rivière Picauba – nous sommes arrivés dans un camp de 125 hommes. C'était à la fin de juillet. Je me retrouvais avec des Québécois de la côte sud, à partir de la Gaspésie jusqu'à Lotbinière. Du bon monde! Le seul avec qui je me liai d'amitié, c'est l'ami Thériault que j'ai connu au chantier de la St-Regis Paper et qui avait quitté ce camp avec moi. C'était un homme qui avait une bonne expérience comme bûcheron, il m'a donné de très bons conseils pour simplifier le métier et le rendre moins fatiguant. Par exemple, il m'a fait observer comment doivent être placés les arbres à abattre. Cette méthode de travail se déroulait ainsi : il fallait abattre son premier arbre de la journée, à plat au sol. Par la suite, il s'agissait d'abattre les autres par-dessus le premier arbre coupé, en les croisant les uns par-dessus les autres. Cette technique de travail était bien pour nous, car les arbres étant à notre portée, cela évitait d'être trop penché afin d'effectuer l'ébranchement des arbres et de faciliter la coupe de ceux-ci en tronçons de quatre pieds. En quittant les lieux le soir après avoir empilé le bois qui avait été coupé en tronçon durant la journée, j'examinais les arbres que je devais abattre le lendemain afin de savoir lequel abattre en premier.

J'étais heureux de travailler dans ce milieu. La nourriture était bonne et on demeurait dans des camps avec des lits superposés; c'était chauffé la nuit, sauf la section où étaient placés les éviers. En décembre, pour faire notre toilette, on devait casser la glace sur les barils d'eau qui étaient à notre disposition.

Mon ami Thériault avait une bonne éducation, marié, sans enfant, sa femme enseignait dans une des paroisses du Bas-du-Fleuve.

Je correspondais avec ma mère tout en lui envoyant mon linge sale chaque mois. Dans le paquet du retour, elle insérait *La terre de chez nous*, que je lisais de la première à la dernière page. Dans chaque édition, il y avait de bons articles sur les activités des chantiers coopératifs, de même que sur la fondation de la colonie coopérative de Guyenne en Abitibi. Ceci réveillait mon esprit coopératif qui n'avait guère été nourri depuis mon séjour à Sherbrooke. J'avais eu la piqûre assez forte pour me décider à écrire à M. Samuel Audet, vice-président de l'UCC et directeur de la Maison du bûcheron à Québec, afin de solliciter une place dans ses chantiers après les fêtes, début 1948. Il me répondit en m'invitant à passer le voir à Québec, lors de mon retour du chantier des Price au Lac St-Jean. Le 22 décembre, je quittais donc ce camp en même temps que plusieurs autres qui partaient festoyer dans leurs familles avec l'intention de revenir pour le transport du bois sur les lacs et les rivières. Dans mon esprit, ma décision était prise, j'irai vivre l'expérience des chantiers coopératifs. J'étais content de mon rendement. Dans les cinq mois passés chez Price, on ne travaillait pas le dimanche, sauf parfois pour aiguiser notre scie, j'avais une moyenne de production de deux cordes par jour, beau temps, mauvais temps. Mon record fut de 4 ¼ cordes, coupées et empilées dans une journée.

J'avais un bon compagnon dans l'ami Thériault avec qui

je communiquais le plus souvent. J'ai donc été éloigné de mon milieu habituel huit mois, sans jamais rencontrer une connaissance. Je suis parti du camp avec le transport de l'entrepreneur, ma feuille de temps ayant été préparée par le commis afin de réclamer ma paie au bureau de la compagnie à Québec. Après être passé à ce bureau, on m'a remis 8 billets de 100 $ et un de 50 $. Somme qui a fondu rapidement, parce qu'en mon absence, mes frères avaient fait faillite avec l'entreprise forestière et au temps où j'étais avec eux, nous avions fait des emprunts dont j'étais le seul endosseur. Les deux créanciers se sont présentés assez vite à mon arrivée chez mes parents, et 700 $ y sont passés sans discussion, car je tenais à conserver ma réputation ainsi que l'amitié de ces gens que j'estimais beaucoup. Après avoir perçu mon dû au bureau de la Price, je suis parti coucher à la Maison du bûcheron qui était le rendez-vous privilégié des fils de cultivateurs qui allaient aux chantiers, au nord de Québec. Le lendemain matin, j'ai pris le petit déjeuner avec M. Samuel Audet, que je rencontrais parfois dans les grands rassemblements de la JAC du diocèse de Sherbrooke. Comme président diocésain, celui-ci venait nous parler des chantiers coopératifs et de l'établissement en pays de colonisation, en Abitibi. Il était presque toujours accompagné de C. E. Cousture, le père d'Arlette Cousture. Ce dernier était propagandiste pour les Chemins de fer nationaux et sollicitait les jeunes pour leur établissement en milieu de colonisation dans les grandes plaines de l'Ouest canadien. Donc, j'étais à l'aise pour converser avec M. Audet. Il me fit état de l'engouement des diocèses pour la formule proposée par la Fédération des chantiers coopératifs de l'ouest du Québec à l'effet d'organiser des chantiers-écoles sous la gérance de cette fédération. Au moins cinq diocèses avaient leur chantier-école. Sherbrooke avait le sien à Clova, mais le camp était rempli, impossible d'accepter d'autres candidats. Cependant, il restait une place au camp de Québec-Sud à Clova, sur les limites forestières de la CIP (Canadian International Paper), à quelques milles de celui de Sherbrooke. M. Audet fit les démarches nécessaires et après les fêtes, je me suis dirigé vers Clova.

Après une absence de neuf mois, j'ai passé d'heureux moments auprès de mes amis, mes parents et la direction diocésaine de la JAC – où je n'ai pas encore été remplacé.

Début janvier, je me fis conduire à Richmond pour y prendre le train vers Québec. Tôt en soirée, j'ai pris pour la première fois le train vers l'Abitibi. Arrivé à la gare de Clova vers 8 h, je me suis rapporté au dépôt de la CIP où le commis m'informa qu'un camion partirait dans le cours de la journée vers les camps des chantiers coopératifs de Sherbrooke et Québec-Sud. Il me conseilla de m'habiller chaudement parce que je devrai m'installer à travers le chargement de provisions…

En fin d'après-midi, à mon arrivée au camp, ce fut le premier contact avec les gens du Nord. D'abord le gérant des opérations, M. Edmond Côté de Ste-Germaine de Palmarolle, ensuite le commis, M. Joachim Chouinard de Ste-Agnès de Bellecombe. Dans les jours qui suivirent, j'ai rencontré la soixantaine d'autres bûcherons avec lesquels j'aurais à vivre pour les prochains mois. Tous des gars bien sympathiques et bien éduqués, fils de fermiers pour la plupart. Au cours de chaque semaine, on avait une discussion sur la coopération et le fonctionnement de la formule coopérative appliquée dans l'opération de ce chantier.

À deux ou trois reprises, le dimanche, je me suis rendu au camp de Sherbrooke, à cinq milles du notre, rencontrer les gars que je connaissais, entre autres, les Lussier de St-Gérard de Wolf et Bruno Bazin de Magog, un gars de la JAC.

Les opérations du camp de Québec-Sud s'étant terminées deux semaines plus tôt que celles du camp de Sherbrooke, j'ai demandé à M. Gérard Lanoix, gérant de ce chantier, de me donner du travail afin que je puisse retourner ensuite chez moi en compagnie des gars de Sherbrooke. J'ai donc passé les deux dernières semaines à travailler avec mon ami Germain Lussier.

Au cours de l'hiver, nous avons reçu quelques visiteurs du monde de la coopération et du syndicalisme agricole. On voulait voir sur place le fonctionnement de cette nouvelle application de la formule coopérative appliquée à l'industrie forestière. Pour l'UCC, c'était M. Samuel Audet, accompagné du propagandiste du diocèse d'Amos, M. Adrien Vachon et de M. Paul-Hus de la Fédération de l'UCC de Sherbrooke. M. Odilon Boutin, directeur général de la Fédération des chantiers coopératifs est venu visiter les deux camps, vérifier d'abord le travail des deux gérants qu'il avait choisi pour ces chantiers, et aussi diriger une soirée d'études sur la coopération vécue dans les chantiers. Il se disait très satisfait de l'expérience. Au cours de cet hiver, il y avait au-delà d'une vingtaine de chantiers coopératifs en activité. Il lança le message à ceux qui avaient aimé la formule de recruter dans leur diocèse, et les assura que la Fédération les supporterait en leur trouvant des contrats auprès des compagnies forestières. De plus, on leur fournirait le personnel nécessaire pour la direction de leurs chantiers!

Début avril 1948, tout ce beau monde est rentré chez eux, ayant bien aimé l'expérience. Ça se parlait dans les syndicats de l'UCC et, à la direction diocésaine de la JAC, l'aumônier Édouard Comeau proposa une tournée de tout le diocèse pour informer et recruter, s'il y a lieu. À la mi-juin, à peu près toutes les paroisses agricoles avaient été visitées! Bruno Bazin et moi avons rencontré quelques centaines de jeunes à qui la formule a paru intéressante. Comme résultat, 350 jeunes signèrent le contrat d'engagement type pour les membres des chantiers coopératifs et versèrent un droit d'entrée de 10 $ chacun. À la JAC comme à l'UCC, on fut surpris du résultat qui dépassait toute espérance.

Restait à livrer la marchandise. Le suivi se fit avec la Fédération auprès de son gérant M. Odilon Boutin, par le propagandiste de la Fédération de l'UCC de Sherbrooke, M. Paul-Hus. On fut quelques semaines sans nouvelles. En attendant, notre aumônier Édouard Comeau de la JAC, et un ami de Mégantic, Émile Grondin me proposèrent de les accompagner en Abitibi. C'était notre premier voyage dans cette région. L'abbé Comeau avait une semaine disponible. Nous sommes partis avec une tente et voyagions en touristes. Courte visite dans les villes de Rouyn-Noranda, La Sarre et Amos. On a couché un soir à Guyenne. L'humeur des gens qui ouvraient cette colonie nous impressionnait. De jeunes familles construisaient leur maison, on a assisté à une de leurs réunions hebdomadaires sur l'étude de la coopération et à la discussion des problèmes locaux. Nous vivions leur réalité. C'était un monde nouveau que nous découvrions.

On se dirigea ensuite à Cadillac où l'abbé Comeau avait un oncle – d'un nom assez rare : Lacaillarde – qu'il n'avait pas vu depuis une quinzaine d'années. Il nous a bien accueillis et nous a gardés à coucher le samedi soir; le lendemain, l'abbé disait sa messe dans la nouvelle église. Nous avons quitté ces gens accueillants pour nous déplacer vers Val-d'Or, où les rues n'étaient pas encore asphaltées et où les trottoirs étaient en bois. Le soir du 25 juillet 1948, nous étions enfin au siège social de la Fédération des chantiers coopératifs au sud de Val-d'Or, au lac Granet. Il y avait une trentaine de personnes occupées à toutes sortes de tâches, notamment la coupe de billots de pins. Il y avait également beaucoup de monde absorbé par la préparation des rencontres des membres des chantiers de l'année écoulée, et à la planification des activités de la prochaine saison. Le lendemain, c'était la fête de Ste-Anne; on demanda à l'abbé de célébrer une messe en soirée. Un des commis qui agissait comme sacristain lorsqu'un prêtre passait dans les environs déclara qu'il ne restait pas beaucoup de vin de messe. Un aide-camionneur qui arrivait de la ville proposa de fournir la bière si ça pouvait accommoder...

Le jour suivant, l'abbé Comeau nous a laissés, Émile Grondin et moi. Quelque temps après, M. Boutin, gérant général – comme tout le monde l'appelait – nous fit part de la proposition faite par la compagnie de Baie-Comeau, Quebec North Shore : un contrat pour la coupe et le transport sur les lacs en vue de la drave (flottage du bois) de 50 000 cordes de bois en 4 pieds. Ainsi, cinq camps neufs furent construits sur les parterres de coupe situés le long de la rivière des Anglais, à une cinquantaine de milles de la ville de Baie-Comeau. On discuta de la proposition. Ça prendrait 500 hommes pour cette opération. Le diocèse de Rimouski en a recruté 150 et nous de Sherbrooke, 350. Quelques appels à la compagnie et aux responsables de Rimouski, et on décida d'aller examiner les sites des chantiers la semaine suivante.

Au cours de la semaine M. Boutin nous amena, Émile Grondin et moi, assister à l'assemblée annuelle de la Fédération des chantiers coopératifs du Nord-Ouest québécois – qui regroupe des coopérateurs d'une trentaine de paroisses de l'Abitibi et du Témiscamingue. La réunion se tenait à Guyenne dans un grand camp utilisé comme première église. Je rencontrai plusieurs leaders régionaux, tels que Joseph Laliberté, président de la Fédération de l'UCC du diocèse d'Amos et Mgr Joseph-Aldée Desmarais, évêque d'Amos. Le séminaire d'Amos était en construction à ce moment-là. La Fédération lui avait fait un don de 1 000 $. Il en était très heureux parce que, même s'il s'entendait bien avec Duplessis – premier ministre de la province à l'époque – la subvention que ce dernier lui avait accordée ne couvrait pas complètement le coût du projet; ce qui explique pourquoi il était en période de collecte de fonds. Le député Émile Lesage de Macamic est venu saluer les coopérateurs et promettre son appui à leurs projets.

Le samedi, on se dirigea vers Roquemaure avec M. Boutin et l'ami Grondin. À l'hôtel Albert de Rouyn-Noranda, nous avons rencontré Georges Mainville qui nous a été présenté comme directeur général des opérations qui se dérouleront à Baie-Comeau. M. Boutin me présenta comme son adjoint. Il nous avisa : « Vous partez demain matin explorer le territoire à bûcher dans les cinq chantiers, et vous devez établir un prix à la compagnie pour l'exécution de ce contrat ». Nous avons couché à Roquemaure, mais avant d'arriver, M. Boutin a tenu à me faire visiter l'endroit où a eu lieu le premier chantier coopératif par les gens de Roquemaure, situé sur ce qu'on appelle *la route du 9 milles* entre la route Macamic-Rouyn et Duparquet. Tôt le dimanche matin, nous avons quitté le village de Roquemaure. J'avais couché chez M. Charles Mainville, le père de Georges, du bon monde originaire de St-Onésime de L'Islet. Nous avons assisté à la messe du dimanche à Palmarolle et ensuite, nous sommes montés avec M. Alphonse Audet qui demeurait dans le village. Lui s'en allait rencontrer des gens de Nicolet pour *marcher un chantier* (c'est-à-dire marcher les terres forestières pour la coupe du bois) le long de la ligne de chemin de fer pour une compagnie forestière. Émile Grondin retourna au lac Granet travailler avec la petite équipe qui s'occupait de la coupe de pins et opérait la scierie. Nous avions convenu, avec la direction de la fédération, que M. Grondin devait nous rejoindre plus tard à Baie-Comeau. Quant à moi et le délégué de la fédération, George Mainville, nous avons décidé de coucher à Montréal. Le lendemain matin, nous nous sommes mis en route pour Québec. Rendu à destination, Georges voulut visiter son frère Rosaire qui était hospitalisé dans cette ville, et ce, avant que nous repartions en direction de Baie-Comeau. Georges, même s'il ne me connaissait que depuis deux jours, tenait à ce que je l'accompagne et c'est ce que j'ai fait. Je ne l'ai jamais regretté : j'ai vu là un homme usé par le travail, très malade et résigné à quitter les siens qu'il aimait beaucoup. Il est décédé quelques jours plus tard. Après cette visite, en soirée, nous avons pris le train de nuit pour Rimouski. Nous sommes arrivés très tôt le matin. Et puis, de la gare, on s'est fait conduire à l'aéroport où une nouvelle compagnie opérait une flotte d'avions DC3 achetés des surplus de l'armée. Ce fut mon baptême de l'air.

En matinée, nous étions au bureau de la Quebec North Shore pour une première rencontre avec les autorités de la compagnie. L'adjoint du gérant qui nous a accueillis a causé un choc à mon ami Georges : c'était un ancien policier militaire qui, en temps de guerre, avait poursuivi en Abitibi les déserteurs de l'armée. De part et d'autre, ces gens avaient assez d'éducation pour se dire que c'étaient des choses du passé et qu'il était temps de tourner la page.

Nous avons dîné dans le chic hôtel de Baie-Comeau. Après le repas, le surintendant des opérations forestières et le représentant des gens de Rimouski sont venus nous chercher afin de se rendre au dépôt de la rivière des Anglais, à 50 milles au nord de la ville. En arrivant sur les lieux, on nous assigna un local pour travailler nos calculs, et des chambres dans le pavillon réservé aux visiteurs. À environ 5 milles se trouvait un camp que l'on pouvait visiter en s'y rendant en voiture. Nous l'avons visité avant le souper, c'était un beau camp neuf, tout monté : lits, génératrice, batterie de cuisine pour une centaine d'hommes. Le représentant nous expliqua qu'il y avait quatre autres camps semblables à celui-ci. Il y en avait deux à l'extrémité d'un lac d'une dizaine de milles de longueur. On s'y rendit grâce à un puissant bateau servant aussi à tirer des chalands pour le transport des approvisionnements. Pour ce qui est des deux autres camps, ils étaient situés dans une direction opposée, plus dans les montagnes; un à 7 milles du dépôt et l'autre 4 milles plus loin. On passa alors la soirée avec le responsable à étudier les cartes du territoire forestier afin d'évaluer le prix que nous devrions exiger pour la coupe de ce bois. Et puis, on convint qu'en trois jours on marcherait les territoires de coupe forestière et qu'ensuite, avec le représentant de Rimouski, on pourrait estimer adéquatement les dépenses pour ces opérations. Je n'ai jamais fait autant de calculs sous pression! Il fallait penser à tout : la nourriture pour 500 hommes pour une période de 6 mois, le nombre de chevaux à acheter, les attelages, les traîneaux, l'équipement de boutique de forge – une par camp – le carburant pour les génératrices des cinq camps ainsi que pour les camions qu'on louerait pour le transport de 6 000 cordes de bois dans un des camps, l'opération du bateau ravitailleur pour deux camps, l'achat de deux motoneiges Bombardier et leurs frais de fonctionnement. Le lundi matin, la séance de calcul étant terminée, nous quittâmes le dépôt. Georges Mainville apporta son dossier à M. Boutin venu le rejoindre à Baie-Comeau pour négocier avec la direction de la compagnie.

Pour ma part, je retournai quelques jours dans ma famille, à Bonsecours. Au début de la semaine suivante, on me téléphona chez mes parents et on me pria de me rendre à la Maison du Bûcheron à Québec, où messieurs Boutin, Mainville et Dubé – l'expert-comptable de la Fédération – m'attendaient afin d'aller à Baie-Comeau, terminer les négociations avec la compagnie et se préparer à démarrer les opérations le cas échéant. Confiant, en passant à Québec je m'achetai un bon sac de couchage. À Baie-Comeau, la direction de la compagnie nous informa qu'elle était désireuse de tenter l'expérience de travailler avec les chantiers coopératifs.

Avec les calculs que nous avions faits, nous demandions 17 $ la corde pour exécuter ce contrat, mais après négociation on s'entendit pour 15 $. Cette différence provenait du fait que tout ce qui concernait le transport de la rive sud ou les entrepôts de la compagnie à Baie-Comeau serait assumé par la compagnie jusqu'au dépôt et à chacun des camps. De plus, l'exploitation du dépôt, du pavillon d'accueil des visiteurs et de la résidence de la direction serait à leurs frais. Au bout de 24 heures, tout était signé et nous étions prêts pour l'ouverture des opérations. Mon ami Georges Mainville me rappela que c'était moi qui avais fait le recrutement des gars de Sherbrooke, et qu'il me revenait donc la tâche de faire venir les gens qui pourraient être cuisiniers, gérants et commis de chantier pour les 3 camps qui seraient opérés par les gens de Sherbrooke. Il me fallait aussi trouver un opérateur pour le bateau qui aurait à ravitailler les deux camps situés près du lac.

Quelques jours plus tard, tous ces candidats à différents postes sont arrivés aux camps de Sherbrooke, de même que ceux des camps de Rimouski. L'ami Mainville s'occupait de cette entreprise avec quelques conseillers tels que Claude Garneau et Marcel Gadoury pour assister les gérants. Dieudonné Blier fut recruté pour la mise en place des boutiques de forge et pour la surveillance des chevaux qui seraient utilisés sur le chantier. Le grand commis Dubé ferait le suivi des responsabilités de chacun des commis de camp. Toute une logistique!

Fin septembre, tout notre monde était arrivé. Avec Georges, on s'organisa pour visiter les cinq camps et passer une soirée avec les travailleurs réunis dans la salle à manger. Après avoir participé au recrutement de tous ces jeunes gens, j'étais très impressionné par la découverte de la responsabilité que j'avais. Un grand nombre couchaient pour la première fois en dehors du toit familial et en étaient à leurs débuts dans le métier de bûcheron.

Georges me présenta comme l'animateur qui viendrait toutes les semaines pour diriger la rencontre, semblable à un cercle d'études sur la coopération et l'application dans l'opération d'un chantier. J'ai été bien secondé par chacun des gérants et commis de chantier.

J'ai dû rapidement apprendre à effectuer un travail pour lequel je n'avais aucune formation, tout en me retrouvant avec 500 inconnus. C'est une réalité que je constate aujourd'hui. Dans le temps, je ne m'étais jamais posé de questions, tout ce beau monde était comme moi, il fallait se résigner à apprendre dans l'action ou, comme on dit, sur le tas. L'objectif était d'obtenir un succès et que tout le monde soit heureux de vivre cette expérience.

C'était tout un exercice : après avoir passé une soirée dans un camp, le lendemain après le déjeuner, je devais marcher de 5 à 10 milles avec sac à dos et sac de couchage pour me rendre à un autre camp. Je logeais soit dans le camp des mesureurs ou dans celui du commis.

Je ne m'arrêtais pas sur mon manque de formation pour ce travail d'animation. Je me contentais plutôt de partager ce que j'avais comme fils de cultivateur, deuxième d'une famille de onze enfants, élevé dans la pratique religieuse par des parents qui avaient le souci de nous transmettre ce qu'il y avait de meilleur des traditions culturelles du temps.

Heureusement, mon engagement dans différents organismes et mon passage à l'école d'agriculture et à la présidence de la JAC m'avaient préparé à assumer cette tâche. Aussi, mon patron et associé dans ce projet m'a été le meilleur modèle et collaborateur. Georges Mainville, plus âgé que moi d'une quinzaine d'années, était un autodidacte, il s'était bâti lui-même. Travailleur manuel acharné, il avait appris à diriger des équipes de travailleurs en leur faisant vivre la formule coopérative. Sa dernière expérience était le chantier de la paroisse de Guyenne, avec une cinquantaine d'hommes de tous les coins de la province. Il avait réussi à garder l'harmonie et à faire un succès de cette opération. Il n'avait jamais fréquenté l'université, mais il avait une foule de connaissances pratiques et il s'exprimait en employant un langage à la portée de son auditoire. C'était un lecteur de la revue des Jésuites *Relations* et des encycliques des papes sur la doctrine sociale de l'Église. Après sa journée de travail, il pouvait lire jusqu'à 3 h du matin. Il était intéressant à écouter, il pouvait garder son auditoire en haleine de 20 h à 23 h 30, il n'y avait pas de question qui restait sans réponse.

L'évolution de la formule des chantiers coopératifs en forêt était une question qui intéressait des gens de tous les milieux en province, en commençant par Mgr Labrie – évêque de Baie-Comeau – qui voyait ce mouvement comme inapproprié pour la population de son diocèse. Après être venu nous visiter et s'être renseigné sur le fonctionnement, l'ami Mainville l'avait convaincu du contraire.

Nous avons eu la visite de beaucoup de monde au cours de l'hiver. Comme on avait demandé aux jeunes de ne pas sortir pour les fêtes, pour Noël nous avions réussi à obtenir la présence de cinq prêtres pour nos cinq camps, afin que nos hommes aient leur messe de minuit avec un réveillon par la suite. Les cuisiniers s'étaient surpassés!

L'aumônier de la JAC de Sherbrooke avait visité les trois camps des gars de son diocèse. Il avait proposé aux célibataires de lui remettre leurs noms pour les transmettre au secrétariat de la JAC qui essaierait de leur trouver une correspondante, ce qui les aiderait à faire reculer l'ennui pour le reste de l'hiver. L'initiative a été appréciable, à ce que je me souvienne la formule a débouché sur au moins deux mariages!

Parmi les autres personnes nous ayant visités, soulignons Gérard Filion, secrétaire général de l'UCC, le père Alexandre Dugré S.J., rédacteur de la revue *Relations* et les présidents des fédérations de l'UCC de Rimouski et de Sherbrooke. Aussi, M. Boutin est venu rencontrer les bûcherons des camps en les priant de bien observer le fonctionnement d'un chantier coopératif parce qu'ils vivaient dans le moment l'expérience d'un chantier-école dont l'objectif était qu'ils fondent eux-mêmes un chantier coopératif dans leur patelin, afin que l'année suivante ils puissent être des entrepreneurs autonomes.

L'hiver s'est écoulé sans trop d'incidents; sur les 500 hommes qui ont participé, deux seulement ont été renvoyés pour indiscipline. Ils n'étaient pas faits pour vivre cette expérience.

Aucun blessé grave, mais par contre, un cheval a rué sur un jeune. Celui-ci a fait un arrêt cardiaque et n'a pu reprendre connaissance. C'est malheureux, j'ai dû aviser le curé de la paroisse pour qu'il informe la famille. Georges Mainville m'a demandé d'accompagner le corps à la morgue pour l'enquête du coroner et de le suivre jusqu'à ses funérailles dans sa paroisse. Le curé m'a hébergé à son presbytère jusqu'après les funérailles. C'est le seul triste souvenir qu'il me reste de cette expérience.

Mi-avril, l'opération était terminée, le contrat ayant été exécuté sans trop de problèmes, en considérant que nous étions en terrain montagneux. Heureusement, les gens de Rimouski savaient ce que c'était que de travailler dans cette région, leurs conseils nous ont été précieux, surtout pour sortir le bois du camp numéro 6. La coupe s'était faite sur un genre de plaine au sommet d'une montagne abrupte où il fallait transporter ces 6 000 cordes dans une *dalle* de près de 2 000 pieds de longueur. En glissant, les billes usaient tellement vite le fond de la *dalle* qu'il fallait constamment la recouvrir avec des feuilles de métal. Nous avions une équipe qui travaillait jour et nuit à l'entretien de ladite *dalle*. À l'aide des tracteurs, on avait monté des camions sur le haut de la montagne pour transporter une bonne partie de ce bois.

Fin avril 1949, mission accomplie, tout le monde quitta Baie-Comeau et retourna dans sa famille. Aux yeux des gens qui suivaient l'évolution du mouvement coopératif, cette expérience vécue au Québec était considérée comme un exploit formidable.

Mais, pour moi Hilaire Boissé, 27 ans (on était en 1949), j'avais la prémonition que j'étais à un tournant de ma vie. Je me questionnais sur la possibilité de réaliser mon rêve : m'établir sur une ferme dans les Cantons de l'Est. Je n'avais plus de dettes et on me remit un chèque qui approchait les 2 000 $ pour les 12 derniers mois que j'avais consacrés à la cause des chantiers coopératifs. Je me sentais interpellé à travailler à la promotion des chantiers coopératifs dans le diocèse de Sherbrooke. La direction de la JAC appuyait ce projet, tout en convenant que l'UCC de Sherbrooke devrait le chapeauter. Très sensible à la réalisation dudit projet proposé par la Fédération des chantiers coopératifs de l'Ouest québécois, la direction était en réflexion et en consultation. Ils tardèrent à me convoquer pour me faire une proposition.

À la mi-mai, je reçus une lettre du secrétaire de la Fédération des chantiers, au nom de son directeur général M. Odilon Boutin, m'informant que si j'étais disponible, de bien vouloir me rendre en Abitibi, qu'on aurait du travail à me confier.

En fait, on reconnaissait que Baie-Comeau avait été un succès qui dépassait tous les espoirs. Mais de là à engager Hilaire Boissé, il y avait un danger, car il n'était pas passé par la bonne école, avec les gens de l'Abitibi qui étaient considérés comme trop progressistes dans l'implantation de coopératives en région! Probablement qu'il y avait plus de coopératives par personne en Abitibi que dans le reste de la province. Donc, sur le plan provincial, cette rumeur à mon sujet était venue aux oreilles des dirigeants du monde syndical de la région tels que Adrien Vachon et Joseph Laliberté de la Fédération de l'UCC et M. Boutin. C'est pourquoi ces derniers ayant déjà travaillé avec moi se sont dit : « On ne le laissera pas sécher à Sherbrooke ». La vérité sur cette histoire m'a été racontée quelques années plus tard par Jean-Marc Kirouac lorsqu'il a obtenu le poste de secrétaire général de l'UCC. Je n'ai pas hésité longtemps à filer vers l'Abitibi. J'avais une voiture neuve, achetée au retour du chantier. J'aurais pu payer comptant, mais je préférais me garder de la liquidité en attendant de trouver l'emploi qui m'obligerait de toute façon à posséder un véhicule.

Dans les jours qui suivirent l'invitation de M. Boutin, j'arrivai au lac Granet, le siège social de la Fédération des chantiers. On m'accueillit à bras ouverts, je retrouvai les gens avec lesquels j'avais eu beaucoup d'agrément à travailler. Pour quelques jours, on m'affecta à l'équipe de la comptabilité. À la fin de la semaine, ce fut la première rencontre avec le président de l'UCC diocésaine qui est aussi président de la Fédération des chantiers coopératifs.

C'est lui qui, avec M. Boutin, conduisait la grosse barque des chantiers coopératifs. On me convoqua pour le lundi matin à un entretien au secrétariat de la Fédération de l'UCC à Amos. Étaient réunis avec M. Laliberté, le président Hector Joyal, propagandiste diocésain, Dominique Lemay, agronome et adjoint au propagandiste responsable de l'Abitibi-Ouest, de même qu'un autre candidat de mon rang pour la circonstance, Simon Lévesque. On nous expliqua, à Simon et moi, que la Fédération de l'UCC (L'Union Catholique des Cultivateurs) était responsable du bon fonctionnement des syndicats locaux incluant les caisses populaires et les autres coopératives. Le projet consistait donc, pour Simon Lévesque et moi, à se partager les visites de chacun des syndicats du diocèse. Simon Lévesque préférait l'est parce qu'il avait des connaissances à Val-d'Or. Je me sentais à l'aise d'accepter de travailler dans l'ouest de l'Abitibi, surtout qu'à Ste-Germaine je connaissais M. Edmond Côté qui avait été mon gérant au chantier coopératif de Clova, l'année précédente. M. Laliberté avait convaincu M. Roland Tremblay de Beaucanton, un des piliers de la coopération dans sa paroisse, de m'accompagner dans ce travail de relation sociale dans les paroisses de l'ouest de l'Abitibi. Hector Joyal, secrétaire diocésain de la Fédération de l'UCC d'Amos, nous fournit la liste des syndicats de chacune des paroisses avec le nom de leurs présidents et secrétaires respectifs. Avec mon collaborateur Roland, on convint de rencontrer chacun des présidents et secrétaires de syndicats afin d'établir une date pour tenir une réunion générale avec leurs membres. Le but étant de recevoir leurs demandes et commentaires sur le fonctionnement des groupements coopératifs de leur milieu pour qu'on puisse les aider, s'il y a lieu.

Dans cette pré rencontre, nous fûmes très bien accueillis. On visita en même temps le curé de la paroisse qui est presque toujours l'aumônier du syndicat. Dans ce temps – c'était la culture de l'époque – le clergé se devait d'être présent partout. Ça se comprend mieux aujourd'hui : le niveau de scolarité étant ce qu'il était, le curé était le plus instruit de la paroisse et on lui en demandait beaucoup. Pour les curés – des gens fort généreux – Roland et moi étions un peu des missionnaires de la coopération qu'il fallait accueillir à bras ouverts. C'est pourquoi plusieurs nous offraient le gîte et le couvert à leur presbytère. Aujourd'hui, en passant devant ces maisons – qui ne sont plus des presbytères – je me plais encore à me rappeler le nom des curés qui nous avaient gardés à coucher et à déjeuner avec eux, le lendemain matin.

Notre premier rassemblement à Taschereau a été un succès. Au moins une centaine de personnes avaient répondu à l'appel de leur curé, le chanoine Émile Couture et des autres leaders du milieu pour rencontrer le nouveau propagandiste de l'UCC pour l'Abitibi-Ouest, Dominique Lemay, le nouvel agronome du ministère de l'Agriculture du comté, Jos Audet, Roland Tremblay et moi-même. Sur la tribune, devant cet auditoire, nous en étions tous les quatre à notre première expérience de contact avec la population. Cette municipalité avait une population particulière qui regroupait des colons, des cultivateurs, et des forestiers comme les Dubreuil qui avaient une usine de fonds de paniers. Ce sont eux qui plus tard fondèrent en Ontario le village forestier de Dubreuilville. Il y avait aussi dans le village une centaine de personnes qui travaillait comme cheminots. Le CN avait à Taschereau sa jonction de chemin de fer pour Rouyn-Noranda à partir de la ligne Québec-Cochrane – située dans le village où il y avait aussi un vaste atelier d'entretien de locomotives à charbon. C'était le point d'arrêt des locomotives à vapeur pour faire le plein d'eau. Au centre du village, un immense réservoir surélevé avait été construit à cette fin.

C'est ainsi que la tournée des paroisses de l'Abitibi-Ouest a débuté. Environ trois semaines plus tard, après avoir visité une bonne dizaine de paroisses, le président nous a convoqués au bureau de la Fédération à Amos afin de recevoir un rapport de nos activités et de connaître les principaux besoins du milieu. Pour ce qui est de l'Abitibi-Ouest, l'ami Tremblay et moi faisions le point sur les entretiens que nous avions eus avec les personnes rencontrées, tout en faisant valoir les services offerts aux cultivateurs. Je fis remarquer à M. Laliberté que lorsque nous expliquions les services que puissent rendre aux cultivateurs les deux sociétés d'assurances que l'UCC a fondées depuis quelques années, quelques-uns nous demandaient à qui s'adresser pour assurer leurs bâtisses et leur automobile. M. Laliberté nous répondit que pour le moment il n'y avait personne et qu'il se proposait d'organiser ce service bientôt. De plus, il avait identifié deux candidats qu'il rencontrerait le lundi suivant pour leur donner une petite formation. Sur ce point, il s'arrêta, et me regarda dans les yeux et à brûle-pourpoint me demanda : « Est-ce que ça t'intéresserait? » J'hésitai et finalement lui répondis : «J'y penserai en fin de semaine et si la chose m'intéresse, je serai au bureau de l'UCC à Amos, lundi à 10 h.». En fin de semaine, je me suis dit que j'avais peu de connaissances dans ce domaine, sauf que pendant l'hiver, la Mutuelle-Vie de l'UCC m'avait envoyé des manuels de taux en assurance-vie et des formules de proposition, me suggérant d'étudier le tout afin d'offrir aux jeunes fils de cultivateurs qui étaient au chantier de prendre une police d'assurance sur leur vie.

J'avais réussi à vendre une vingtaine de polices. C'était mon expérience en assurance-vie. En assurance-incendie, c'est à peine si je savais que ce service existait. Je me souvenais qu'étant plus jeune, à la ferme, le tonnerre était tombé sur la grange et que les murs de l'étable avaient été défoncés par la foudre. Un agent de réclamation de la compagnie d'assurances l'Équitable était venu faire l'évaluation des dommages et plus tard mon père avait reçu un chèque; je trouvais que la compagnie d'assurances portait un beau nom.

Pour ce qui est de l'assurance-automobile, les connaissances acquises dans ce domaine m'avaient coûté plutôt cher. J'avais eu un accident de voiture quelques années auparavant et la compagnie m'avait refusé toute couverture parce que des cultivateurs de Bonsecours avaient voyagé avec moi et m'avaient récompensé de quelques dollars, ce qui au dire de la compagnie d'assurances était une rupture de contrat, l'assuré n'étant pas couvert pour transporter des passagers moyennant rémunération. C'est donc avec des avocats qu'un règlement hors cour m'avait coûté 1 800 $, alors que je gagnais 20 $ par semaine à l'école Noé-Ponton.

J'ai reçu cette proposition comme l'annonce d'un tournant dans ma vie. Je me suis souvenu de la personne qui m'avait vendu ma première police d'assurance-vie, Jos Racine, un gars qui avait une belle personnalité. Je l'avais connu comme vendeur de fruits et, quelques années plus tard, il est devenu assureur-vie pour la Crown Life; il avait fait carrière dans ce domaine avec succès.

Aussi, voyant que cette tournée de propagandiste de l'UCC ne durerait pas très longtemps, j'ai pensé que c'était peut-être la voie que je devais emprunter. Donc, le 13 mai 1949 au matin, de Ste-Germaine où je suis en pension, je me rendis à Amos où M. Laliberté se retrouva avec ses trois candidats : M. Laprise de Colombourg, M. Gosselin de Preissac et moi-même. Il nous a fait un petit exposé sur l'usage des manuels de taux et sur la manière de compléter les propositions dans les trois types de couvertures d'assurances. À 16 h, le cours étant terminé, je me rendis à Rapide-Danseur pour animer la réunion du syndicat de l'UCC convoquée quelques jours auparavant. Après mon discours habituel sur les services d'assurances de l'UCC, quelques cultivateurs m'invitèrent à passer les visiter le lendemain pour assurer leurs bâtiments. C'est donc le 14 juin 1949 que j'ai vendu mon premier contrat d'assurance à M. Georges Dion qui venait de se construire une nouvelle grange-étable.

Au bout d'une semaine, j'aimais tellement ce travail que j'étais convaincu que je ferais carrière en assurances.

« Le grand amour, c'est quand il n'y a plus de distance, quand on n'a même plus besoin de poser une question parce que la réponse est déjà en soi et en l'autre. »

— *Victor-Lévy Beaulieu*

À quinze ans, il était clair pour moi qu'entrer dans une communauté religieuse n'était pas ma place et devenir prêtre, non plus; mes parents n'avaient pas les moyens de me payer de telles études. Dans nos écoles rurales, nous recevions chaque année la visite de religieux et de religieuses de différentes communautés qui faisaient connaître leurs oeuvres et sollicitaient les jeunes à vivre comme religieux en communauté.

Conscient de mon désir de me marier un jour et de fonder une famille, il était naturel que je m'intéresse aux personnes du sexe opposé. Étant curieux de me renseigner sur la psychologie féminine et masculine, je me souviens d'avoir lu quelques ouvrages comme *Ce que tout jeune homme devrait savoir* et aussi le volume de Gina Lombraso, très avancé pour le temps, sur la psychologie féminine.

Je n'avais pas le goût, comme la majorité des jeunes du temps, de fréquenter les salles de danse en ayant mon petit 10 onces de gin à l'intérieur de mon gilet d'habit. Mes activités comme président diocésain de la JAC me fournissaient toutes les occasions saines pour rencontrer des jeunes filles qui auraient pu me plaire. Le choix était vaste et les occasions très nombreuses parce qu'au cours de ces cinq ans d'engagement dans le mouvement, nous avions eu au moins une vingtaine de rencontres par année, soit en province ou dans le diocèse. Nous étudiions en équipe les programmes proposés par ce mouvement d'Action catholique qui nous présentait la méthode du « Voir, juger, agir » comme comportement dans notre vie et dans les activités suggérées aux jeunes. On discutait beaucoup d'établissement rural. Le folklore québécois était très populaire comme divertissement. Les chants de l'abbé Gadbois étaient dans presque tous les foyers; dans chaque paroisse il se trouvait toujours un groupe de jeunes qui montaient une pièce de théâtre. C'est donc dans ces activités que les jeunes s'amusaient, se rencontraient et se choisissaient des compagnons et compagnes de vie pour fonder un foyer.

Parler de mes amours, pudique comme je le suis, est perpétuellement un sujet difficile, même si dans la réalité, tout le monde devient amoureux un jour ou l'autre. La nature étant ce qu'elle est, chacun a un instinct de reproduction et Dieu avait dans ses plans de créer plus qu'un homme et une femme, c'est pourquoi, étant Amour, Il a déposé un germe d'amour au cœur de chaque personne pour continuer la création de l'humanité.

Dans ses commandements, il a donné des lignes directrices aux humains pour que cette création se poursuive harmonieusement dans la société. Donc, avec le petit catéchisme et les commandements de Dieu vécus par nos parents et bien expliqués par nos mères, nos meilleures éducatrices, concernant mes amours j'ai essayé de cheminer à l'intérieur de ces cadres. D'accord, je suis un gars qui a rencontré bien des filles, j'ai eu de l'amitié avec plusieurs avant de trouver l'élue qui est devenue mon épouse aujourd'hui. Plusieurs ont manifesté leur intérêt à partager leur amour avec moi en vue de fonder une famille. Même si c'étaient des filles intéressantes par leurs qualités et leur apparence, il n'y avait pas de signe clair que c'était à l'une d'elles que la Providence me destinait.

Cependant, il y a une fille avec laquelle l'amitié m'avait conduit à l'amour, amour qui s'est toujours heurté à l'impossible. C'était la fille du fermier pour qui j'ai travaillé dans ma paroisse. Elle était encore à la petite école, et un jour alors que je réparais une clôture avec un collègue de travail sur le bord de la route, cette jeune écolière passa et l'ami Dulude qui travaillait avec moi me lança une réflexion disant que plus tard ça me ferait une bonne épouse. En fait, elle était ma cadette de quatre ans. Alors, je me suis dit que ce n'était pas impossible. L'étincelle était allumée, je ne la regardais plus de la même façon et je trouvais sa voix de plus en plus envoûtante. Toutes les occasions étaient bonnes pour se rencontrer et cultiver l'amitié. C'étaient des moments agréables. Je me plaisais avec ses parents et son père était un sage. Ce bon compagnonnage a duré quelques années. Il manquait un élément de ma part pour proposer un engagement plus sérieux. C'était l'époque d'instabilité que j'ai vécue en rapport avec la poursuite reçue après mon accident de voiture. C'est aussi dans cette période que j'ai quitté un emploi qui semblait lucratif à l'école Noé-Ponton pour aller dans les chantiers dans le but de gagner l'argent nécessaire à mon établissement.

Lorsqu'on ne se rencontrait pas, on correspondait. Après mon départ, j'ai reçu quelques lettres qui manifestaient un sentiment de plus en plus indifférent et froid, avant d'en venir à un silence complet. Étant devenu bûcheron, c'était la déchéance totale pour elle et surtout pour sa mère qui était très directrice dans l'orientation de sa famille. Donc, j'en ai tiré une bonne leçon à l'effet de ne pas entreprendre de fréquentations sérieuses sans être assuré d'une situation qui me permettrait de fonder une famille. À partir de ce moment, j'ai gardé ma liberté sentimentale. D'ailleurs, le genre de vie que je menais ne se prêtait pas à faire des rencontres dans le milieu féminin!

Cependant, durant l'hiver passé aux chantiers coopératifs à Baie-Comeau, après la visite de l'aumônier diocésain qui avait proposé un service de correspondance pour les jeunes en travail éloigné, j'ai reçu une lettre d'une jeune institutrice de la région de Disraeli. Elle demeurait avec sa mère au presbytère d'un village. Au sortir du chantier, sans me précipiter, j'ai donné signe de vie et elle m'a invité à prendre un repas au presbytère avec sa mère et sa soeur. Rencontre très conviviale pour laquelle je l'ai remerciée par courrier un peu plus tard, non seulement pour le repas, mais aussi pour la distraction qu'elle m'avait procurée au cours de l'hiver écoulé. Donc, on tournait la page, elle n'effaçait pas le bon souvenir que j'avais de Gilberte Bourgault rencontrée un an auparavant. Voici comment s'était produite cette première rencontre. Le Conseil diocésain de la JAC s'est réuni à l'école Noé-Ponton de Sherbrooke au sortir du chantier-école de

Clova. En même temps, il y avait un cours d'établissement rural qui se donnait à une cinquantaine de jeunes recrutés des fédérations diocésaines de la JAC du Québec.

M'étant installé dans ma chambre à l'école et me dirigeant alors vers le local où se tenait notre rencontre, je vis une belle jeune fille sur le palier de l'escalier. Se rendant compte que les dirigeants de la JAC de Sherbrooke se réunissaient cette fin de semaine, elle me demanda à brûle-pourpoint si sa copine de l'an passé (au dernier conseil provincial tenu en Mauricie) allait assister à notre réunion. Cette copine, dirigeante de la JAC de Sherbrooke, était justement celle qui m'avait laissé tomber l'année d'avant. À l'instant même, j'ai senti le bonheur renaître en moi et dans mon esprit, la réflexion suivante est passée comme un éclair : « Si ça ne marche plus avec celle qui m'a laissé tomber, c'est elle qui va la remplacer dans ma vie. » Au cours de cette fin de semaine, j'ai pu m'entretenir à différents moments avec elle. De plus, mon ami l'abbé Édouard Comeau qui voyait d'un bon oeil mes amours avec cette jeune fille, me prêta sa voiture pour que j'aille la reconduire à Bonsecours en compagnie de ses amies Gilberte et Laurette Boisvert. Ce fut un échange des plus agréable.

Ce fut la première rencontre avec celle que j'allais épouser le 1ᵉʳ juillet 1950. On s'est revus début juillet 1949 au rassemblement provincial annuel de la JAC en banlieue de Québec. Pour me rendre à ces assises, je voyageais de Sherbrooke à Québec en autobus avec ma soeur Monique, ainsi que cette jeune fille qui était tentée de rapiécer ses amours avec moi; on est tous membres du conseil diocésain de Sherbrooke, les autres voyagent en voiture avec l'aumônier Comeau. Au cours du trajet, elle propose la reprise de nos fréquentations, dans un but sérieux cette fois. On s'est donné la fin de semaine pour s'en reparler. Pour ma part, après réflexion, je ne pouvais pas m'engager dans le vague, car j'avais la responsabilité de conduire à bien le groupe des 350 gars que j'avais recrutés pour les chantiers coopératifs. Il me vint donc à l'esprit de lui faire une proposition pour laquelle j'avais besoin d'une réponse en descendant de l'autobus de retour à Sherbrooke le dimanche au soir, et surtout avant qu'elle rencontre sa mère pour consultation! Je voulais lui donner l'occasion de prendre une décision personnelle. À mes yeux, pour elle la décision était simple, son père avait besoin d'aide en permanence sur la ferme et il s'était toujours plu à travailler avec moi comme aide-fermier, il me considérait comme un fils, et moi je voyais en lui un deuxième père. Au cours des cinq dernières années, j'avais travaillé chez eux pour des périodes plus ou moins longues et c'était un climat familial qui me plaisait. Mais, ce n'est pas là que le Seigneur me voulait puisqu'avant de descendre de l'autobus à Sherbrooke, elle me dit que pendant la session elle s'était recommandée aux prières de la communauté (qui hébergeait les filles pendant le congrès) et qu'après réflexion, elle optait pour entrer dans une communauté religieuse où elle continuerait la pratique de sa profession d'enseignante. La page est donc tournée pour ce chapitre de mes amours. Quelques jours plus tard, je partais pour l'Abitibi avec mes amis Émile Grondin et l'abbé Édouard Comeau. Sans doute me suis-je dit – comme je le fais encore aujourd'hui : « Le meilleur est à venir ».

La grande expérience des chantiers coopératifs étant vécue en juin 1949, j'avais 27 ans et après quelques semaines d'expérience vécue comme propagandiste des assurances de l'UCC, j'étais convaincu d'avoir trouvé ma voie, ce qui me permettait maintenant de songer à fonder un foyer. J'étais persuadé dans la foi que celle que Dieu m'avait préparée de toute éternité pour être la compagne de ma vie était Gilberte Bourgault de St-Jean-Port-Joli, beau village sur les rives du St-Laurent, à l'est de Québec. Village qui m'interpellait à l'école primaire vers 8 ou 9 ans lorsqu'en le voyant sur la grande carte géographique fixée au mur, je me disais : « Ce qu'ils doivent être extraordinaires les gens de ce village en bordure du fleuve ». Je n'avais pas revu Gilberte ni donné signe de vie depuis la rencontre l'année précédente à la session provinciale de la JAC.

À ce moment, on s'était croisés et c'est à peine si on s'était parlé; ce dont je me souviens c'est qu'elle s'intéressait à un groupe de jeunes qui voulaient aller vers La Tuque acheter une ferme pour la culture de la patate.

Donc, m'étant dit que je n'entreprendrais pas de fréquentations sérieuses si je n'avais pas la possibilité de m'établir de manière viable, j'étais convaincu que l'assurance serait pour moi la voie de l'avenir. Alors, en toute confiance, j'écris à Gilberte pour lui partager mes occupations et mon désir de la voir lors de mon prochain voyage dans le Bas-du-Fleuve. À ce moment, Georges Mainville et moi avions planifié d'aller rencontrer tous nos bûcherons coopérateurs pour fermer la comptabilité de ce projet qui était terminé. Il fallait organiser trois réunions distinctes pour les trois camps de Sherbrooke, rencontres qui se tiendraient à des jours et à des endroits différents : une à l'école Noé-Ponton et les deux autres à l'école d'agriculture de Rimouski. Au retour, je pourrais m'arrêter à St-Jean-Port-Joli pour une première fois. J'ai donc exposé ce projet dans ma missive et aussi le fait qu'avant cette journée, j'assisterai pour une dernière fois aux assises de la JAC provinciale qui auraient lieu à Québec. Je terminai mon mandat de président diocésain, alors que Gilberte était secrétaire diocésaine de la JAC de Québec.

Quelques jours avant mon départ de l'Abitibi pour cette grande tournée, je reçus une belle lettre de St-Jean-Port-Joli; c'était la confirmation qu'on pourrait facilement se rencontrer selon le programme proposé.

Nous avons vécu de beaux moments d'apprivoisement au cours du congrès de la JAC, c'était le bonheur parfait au stade de notre découverte l'un de l'autre.

En plus, avec Georges Mainville et sa femme, nous avons assisté aux fêtes du 25e anniversaire de l'UCC qui se déroulaient alors; le point de départ était devant le monument de Louis Hébert, premier cultivateur en terre canadienne. Ensemble, nous avons assisté à la messe prévue au programme des fêtes. Sur notre banc, côte à côte, nous sortons nos chapelets, et quelle surprise, nous avions tous deux perdu la croix de notre chapelet! Était-ce un signe? Nous avons pris part au grand banquet donné pour la circonstance au manège militaire de la ville de Québec. Georges Mainville et sa femme nous passent une remarque qui n'était pas désagréable à entendre : « On n'a jamais vu deux jeunes s'aimer autant, vous devriez vous marier tout de suite! »

Après ces congrès, la tournée a débuté telle que programmée. Au retour de Rimouski, j'ai laissé Georges et sa femme à St-Onésime, le patelin où il est né et a grandi avant d'aller en Abitibi. J'ai ensuite passé quelques heures avec Gilberte à St-Jean-Port-Joli; elle m'a fait visiter son village ainsi qu'une partie de sa parenté et elle m'a invité à m'asseoir pour causer dans les chaises de parterre de l'oncle Jean-Marie Chamard chez qui elle demeurait.

Ce fut l'entretien décisif de nos vies, nous découvrions que nous étions faits l'un pour l'autre et que notre rencontre était dans les projets de la Providence à notre sujet. Dans cette trop brève rencontre, nous décidions des fiançailles pour Noël 1949 et du mariage pour le 1er juillet 1950.

Ma carrière dans les assurances

Le 1er août 1949, mes engagements dans le mouvement des chantiers coopératifs étaient terminés. Ma tournée comme propagandiste spécial de l'UCC était aussi complétée. Je revins donc à Ste-Germaine, en Abitibi, où Mme Ovila Bégin accepta de me garder comme pensionnaire. C'était une brave famille qui faisait partie des pionniers de la paroisse. Les frères d'Ovila, Hormidas,

Albert, Wilfrid et Wilbrod sont les premiers qui arrivèrent au village dans les années 30. Ovila et Marie-Anne n'avaient que deux enfants : une fille, Gisèle, qui était déjà dans une communauté de religieuses cloîtrées depuis quelques années, et Guy qui était encore au primaire et aidait son père à la ferme. Quel beau milieu familial pour m'apprivoiser à la mentalité abitibienne! Mme Bégin m'installa dans une petite chambre dont la fenêtre donnait sur le village. Aux Meubles Boutin d'Amos, je m'achetai un bureau comme table de travail.

Carte d'affaire (recto-verso).

Ayant été absent un mois pour le suivi des dossiers de clients rencontrés depuis la mi-juin, j'avais donc la tâche de revoir ces clients et d'en recruter d'autres. Je parcourais les rangs des paroisses de l'Abitibi-Ouest. Je me rendis compte que c'était en assurance-incendie que le besoin était le plus grand.

En circulant dans les campagnes, je m'arrêtais aux endroits où il y avait une cheminée de briques qui émergeait de la toiture de la maison. Le pays était jeune, il y avait encore beaucoup de maisons qui ne chauffaient qu'avec un tuyau en tôle qui partait du poêle jusqu'à l'extérieur de la toiture. Parfois, j'arrêtais quand même les visiter en leur laissant ma carte et en leur disant que lorsque leur cheminée serait construite, de bien vouloir m'appeler. L'initiative a été bonne puisque Joseph Salois de d'Alembert m'a écrit en anglais sept ans plus tard – il parlait le français mais ne savait l'écrire – pour m'informer que sa cheminée était maintenant construite, me demandant de bien vouloir passer assurer sa maison, son contenu et ses dépendances. J'en garde un souvenir qui se ravive chaque fois que je passe devant cette résidence en allant à Rouyn-Noranda.

Je ne comptais pas mes heures de travail. Après le déjeuner pris avec la famille Bégin – où je me sentais heureux comme l'enfant de la maison – je préparais mes propositions pour les expédier au bureau de la Société d'Assurances. À la fin de la matinée, je passais à la Caisse Populaire et au bureau de poste avant de partir parcourir les campagnes. Parfois, les circonstances ne me permettaient pas de prendre un repas ni le midi ni le soir, quoiqu'en passant devant un dépanneur, je m'achetais une liqueur et un petit gâteau Vachon. Mme Bégin me disait de ne pas me gêner lorsque j'arrivais tard, de me prendre de la nourriture dans le réfrigérateur.

J'avais un léger problème avec le siège social, l'émission des polices ne se faisait pas. Ce n'est qu'au début de septembre que les contrats commencèrent à arriver. Je n'ai connu la cause de ce retard que 50 ans plus tard. Mon ami Jean-Marie Bernier, qui était responsable de l'émission des contrats au siège social, me confia que devant le flot de demandes qu'ils recevaient, les employés s'étaient mis à douter de la qualité des risques à cause de ces endroits éloignés en région de colonisation. Il faut dire que pas un des membres du personnel ne connaissait la région de l'Abitibi. Au siège social, on décida donc d'envoyer discrètement deux employés vérifier sur place s'il y avait un plus grand risque qu'ailleurs en province et s'il y avait encore un danger de feux de forêts.

Fin septembre, les contrats commencèrent à entrer et dans la majorité des cas, j'en faisais la livraison en personne afin de garder et d'entretenir un climat de confiance. J'en profitais parfois pour aller saluer les voisins que j'aurais pu avoir manqués lors de ma première course dans cette paroisse. C'est à ce rythme que j'ai travaillé jusqu'au début de décembre. Le premier chèque de commissions que j'ai reçu mi-novembre 1949 fut un gros montant de 16,20 $! Le système de comptabilité était assez désuet au siège social. Heureusement, je n'avais pas investi sur ma voiture tout l'argent gagné l'hiver précédent. Il faut se rappeler qu'à cette époque, on était rémunéré sur une base de commissions sur les primes payées par les clients. Plus tard, quelques compagnies d'assurance-vie recrutaient des agents avec des avances de commissions, ce qui ne s'est jamais fait à ma connaissance dans l'assurance générale.

Dans cette période, j'avais vendu très peu d'assurance-automobile. Il faut dire que rares étaient les cultivateurs ayant une voiture et que l'assurance-automobile était facultative. Parfois, les clients achetaient une voiture financée par le garagiste et le contrat payait une couverture feu/vol, sans responsabilité civile. En automne, j'ai rencontré plusieurs vendeurs d'automobiles pour les informer des taux d'assurance qui étaient inférieurs aux primes chargées par les trois grandes compagnies qui finançaient alors les achats de voitures, soit : General Traders, Industrial Acceptance co. et Motors Insurance co. J'ai récolté les fruits de cette initiative pendant plusieurs années. La collaboration des garagistes était acquise; ils additionnaient le coût de la prime au coût de la voiture et, à la réception du contrat, ils étaient désignés comme créanciers et me faisaient parvenir leurs chèques.

Avec la clientèle que je développais, je me suis rendu compte dans les demandes que je recevais qu'il me manquait des marchés parce que l'UCC n'assurait que les cultivateurs, leurs fils ainsi que les curés, mais je ne pouvais pas assurer un employé du CN, ni pour sa maison, ni pour son automobile. Alors, j'ai fait la démarche pour transiger avec le groupe Commerce de St-Hyacinthe et la Société d'assurances des caisses populaires. À cette époque, les compagnies n'avaient pas d'inspecteurs sur la route pour la formation de leurs agents. On recevait les formulaires de demande d'assurance et les manuels de taux et, sans nous le dire, c'était : « Débrouillez-vous comme vous le pouvez ».

Heureusement, j'avais fait la connaissance de Jean-Jacques Martel d'Amos qui était dans les assurances pour d'autres compagnies que l'UCC. Je lui rendis visite à son bureau et il ne fut pas avare de conseils, ce que j'ai bien apprécié.

Le groupe Commerce avait été réticent à me désigner comme agent, il m'avait demandé le cautionnement d'une tierce personne. M. Wilfrid Bégin, mon voisin à Ste-Germaine, n'avait pas hésité à me faire confiance et à signer la formule d'endossement. Peut-être que 25 ans plus tard, la compagnie a retrouvé ce document dans mon dossier alors que je leur rapportais au-delà d'un demi-million de dollars d'affaires par année... Malheureusement, mon endosseur est décédé. Je le remercie encore.

À la mi-décembre 1949, les routes de campagne étaient fermées au trafic automobile et la majorité des cultivateurs étaient partis dans les chantiers. J'ai donc remisé ma voiture pour l'hiver dans le garage de la petite maison que j'avais achetée en octobre de M. Ovila Bégin. Il faut dire qu'en octobre, à travers la correspondance avec ma Gilberte – qui travaillait alors au secrétariat de la JAC du diocèse de Québec – je lui avais fait part de cette offre de M. Bégin, mais je ne voulais rien faire sans qu'elle ait visité cette maison. Elle est donc venue par train visiter sa sœur Monique, mariée l'année précédente à Alphonse Dion de Guyenne. J'étais à la gare de Launay pour l'accueillir. Le samedi et le dimanche, après un arrêt à Amos pour rencontrer mon ami Dominique Lemay, on s'est rendus à Ste-Germaine pour visiter cette petite maison de 16 x 24, construite par un menuisier-charpentier qui l'avait vendue à M. Bégin – il avait aussi construit l'église de la place. Elle n'avait pas de cheminée ni d'électricité. Donc, rien d'un grand luxe, mais assez pour débuter notre vie de ménage. Gilberte l'a trouvée charmante et a donné son accord.

Je me rendis donc avec le vendeur chez le notaire Jules Lavigne pour signer l'acte de vente. En détaillant les conditions de vente en vue de la rédaction du contrat – soit le montant de la vente totale, 700 $ sur lesquels je donnais 300 $ comptant et la balance à raison de 100 $/année au taux de 6 % – par précaution pour le vendeur, le notaire lui fit cette remarque : « Vous ne connaissez à peu près pas votre acheteur et la société d'assurances qu'il représente n'est pas connue en région, les cultivateurs s'assurent à la Mutuelle d'Amos ». M. Bégin de lui répondre : « Il est notre pensionnaire depuis trois mois, je vois le train de vie qu'il mène, je lui fais confiance, vous pouvez continuer à rédiger le contrat ».

Fin novembre, premier sinistre à déplorer chez mes assurés. Louis Venne du rang 4 de Poularies s'était construit une belle grange-étable neuve que j'assurais pour 1 000 $. On a prétendu qu'il avait engrangé du foin qui n'était pas suffisamment sec, et qu'à la longue un foyer de combustion s'était formé et avait fini par s'enflammer.

Ce n'était sûrement pas l'électricité qui était en cause parce que ce n'est qu'en 1950 qu'elle est arrivée dans les campagnes d'Abitibi-Ouest!

Mi-décembre, le secrétaire diocésain de l'UCC me proposa de faire une tournée des chantiers coopératifs pour offrir les services d'assurances aux cultivateurs. Au cours de ces visites, j'ai vendu plusieurs polices d'assurance-vie et, au sortir du chantier, plusieurs se sont acheté des voitures neuves et m'ont demandé de les couvrir plutôt que de prendre l'assurance de la *finance* s'ils ne payaient pas comptant.

Dans ces déplacements, j'ai rencontré M. Boutin, directeur général de la Fédération des chantiers coopératifs. Il m'informa qu'après les fêtes, il ouvrirait deux chantiers au sud de Senneterre, au millage ferroviaire n° 62, et qu'il y aurait deux camps. Guy Boudreau serait commis dans le plus gros camp et s'occuperait de la comptabilité pour tout le projet. Il me proposa d'être son adjoint et de demeurer à l'autre camp, tout en m'occupant d'animation comme je l'avais fait l'hiver précédent à Baie-Comeau.

Pour moi, cette proposition était un cadeau du ciel parce que je n'entrevoyais pas beaucoup de possibilités d'occuper mon temps aux assurances. Les routes étaient fermées à la circulation automobile et une bonne partie des chefs de famille étaient aux chantiers à l'extérieur de leur foyer jusqu'au début d'avril.

Sans hésitation, j'ai accepté l'offre et je suis parti en train pour le bas de la province avec l'ami Dominique

Lemay. Celui-ci filait vers Montréal pour aller se fiancer, tout comme moi qui me dirigeais vers Québec où Gilberte m'attendait sur le quai de la gare ferroviaire de la basse ville.

La certitude d'être occupé à un travail qui me plaisait me permettait d'envisager la période des fêtes dans la sérénité. On s'est rendu à St-Jean-Port-Joli où j'ai passé quelques jours avec Gilberte. Chez son cousin bijoutier, Maurice Chouinard, mari de Jeanne Toussaint, nous avons choisi la bague de fiançailles qu'elle a acceptée dans son doigt au cours de la messe de minuit dans la belle église paroissiale.

Au cours du réveillon pris chez sa mère, entouré de la majorité des membres de sa famille, symboliquement, j'ai fait ma demande en mariage comme le voulait encore la tradition. La brave femme, dans toute sa simplicité et son humour me répondit : « Oui, mais vous ne savez pas ce que vous demandez, vous prenez un gros risque ». Après 54 ans, je vis toujours avec ce beau risque.

J'aurais aimé l'amener avec moi passer quelques jours dans ma famille à Bonsecours, mais selon les us et coutumes du temps, ç'aurait été mal vu des deux côtés. Avant le mariage, un gars et une fille ne pouvaient partir ensemble sans être accompagnés. Jeunes raisonnables et responsables que nous étions, on se sépara pour le jour de l'An et quelques jours plus tard, on se revit à Québec. Gilberte y revenait pour reprendre son travail et moi, j'arrivais par le train de Richmond où quelqu'un de Bonsecours m'avait conduit. Après avoir passé quelques jours à la maison du bûcheron, et rencontré Samuel

Audet, vice-président provincial de l'UCC afin de prendre le pouls sur l'évolution du mouvement en province, je me suis embarqué sur le train de l'Abitibi. Gilberte était pensionnaire à la maison Ste-Ursule, tenue par des religieuses pour les « bonnes » jeunes filles de la campagne qui venaient travailler en ville. Elle est venue me conduire au train sans que l'on se questionne sur la date de notre prochaine rencontre. Bien entendu, on s'écrirait.

Débarqué au millage n° 62 par un froid sibérien, mon ami Boudreau était là pour m'accueillir ainsi que M. Boutin. Il y avait un petit camp à notre disposition, près de la voie ferrée. Malgré le froid, l'activité était intense, le gros équipement est arrivé sur le train de marchandises : camions, tracteurs, chevaux et motoneiges. À une dizaine de milles, deux camps de bûcherons étaient en construction, ainsi que deux moulins à scie portatifs. Au bout d'une dizaine de jours, tout était en place avec environ 125 personnes originaires des paroisses de l'Abitibi; c'était du nouveau monde pour moi, je n'en connaissais pas un sauf mon ami Boudreau. Je me suis rapidement lié d'amitié avec un des contremaîtres, M. Gabriel Normand de Palmarolle.

Pour ce qui est de l'animation, j'étais alimenté de documentation par Louis-Philippe Filion, que M. Boutin avait engagé comme responsable d'éducation populaire dans les chantiers coopératifs de la province. Ces opérations forestières se sont terminées le 17 avril. Au retour, je me suis arrêté au bureau de la Fédération des chantiers qui était déménagé du lac Granet à Senneterre. Ce déménagement était dû au fait que les grandes papetières du genre CIP, qui avaient travaillé avec les chantiers coopératifs ont eu peur que leur support les aide à créer un monopole qui deviendrait un monstre dans leur mode de gestion traditionnel.

Avant mon retour à Ste-Germaine, j'avais reçu par courrier une demande d'assurance-automobile du curé de Belcourt. Alfred Allen, le nouveau secrétaire de la Fédération des chantiers coopératifs, m'a prêté sa voiture pour que j'aille le rencontrer à son presbytère. La sortie était déjà prometteuse.

J'ai été content de l'hiver que j'avais passé. Au fil des ans, la presque totalité de ces gens de l'Abitibi est devenue ma clientèle, soit en assurance-vie, auto, tracteur ou incendie. Ceci confirme que souvent les retombées positives de nos actions sont à long terme. Avec l'argent gagné en hiver, j'ai pu faire installer l'électricité et construire une cheminée dans notre petite maison.

Deux bonnes nouvelles m'attendaient à mon retour : les Bégin acceptaient de me garder en pension chez eux jusqu'au 1er juillet, date de notre mariage; de plus, ils ne me demandaient rien pour la garde de mes effets personnels dans ma chambre entre le 15 décembre et le 17 avril. L'autre bonne nouvelle, c'était que la Mutuelle Ste-Thérèse d'Amos m'invitait à les représenter en Abitibi-Ouest. Quelques jours plus tard, je rencontrai ces messieurs Fauchon et Bolduc, respectivement président et secrétaire de la Mutuelle. Après qu'ils m'aient exposé leur façon de fonctionner avec leurs représentants, j'ai considéré que c'était un plus pour moi et j'ai donc accepté.

Ils avaient bon nombre de contrats en vigueur qui ne se renouvelaient que tous les cinq ans. En principe, nous n'avions qu'une petite commission à l'émission du premier contrat et à son renouvellement cinq ans plus tard, sauf s'il y avait des augmentations à faire à la police en cours.

Ce qui était à envisager, c'était la belle occasion qui m'était donnée de connaître ces gens à qui je pouvais vendre d'autres couvertures d'assurance que celles offertes par la Mutuelle. J'étais heureux dans ces activités. Je ne comptais pas mes sorties ni mes soirées de travail. À la mi-mai, un autre cadeau pour l'évolution de ma carrière : l'UCC engagea un propagandiste, instructeur et directeur des ventes, Marcelin Tremblay, celui-ci nous convoqua à un séminaire de formation à l'école d'agriculture de Ste-Martine. Je profitai donc de cette convocation pour aller à St-Jean-Port-Joli rendre visite à ma fiancée et discuter de petits détails relatifs à notre mariage, toujours prévu pour le 1er juillet. C'est lors de ce voyage que nous passâmes chez le notaire Deschênes pour le contrat de mariage, et au presbytère pour mettre les bans à l'église, autrement dit, donner les informations nécessaires en vue de la préparation du mariage religieux.

À mon arrivée à Ste-Martine, j'ai été surpris de me retrouver avec une cinquantaine de gars qui comme moi s'y connaissait peu en assurances. Tout le monde apprenait sur le tas. C'était ainsi dans bien des domaines!

Il faut dire qu'à cette époque, à peu près tout le monde pouvait être agent d'assurances. Parfois, des compagnies se nommaient un agent qui pouvait être aussi bien barbier, marchand, maître de poste ou forgeron, tellement vrai que le groupe Commerce a été fondé par un forgeron à St-Hyacinthe. Selon l'histoire, il avait une boutique de forge et beaucoup de difficultés à s'assurer, c'est alors que lui est venue l'idée d'instaurer une mutuelle regroupant tous les propriétaires de boutiques de forge.

Au retour de Ste-Martine, je me sentais mieux équipé pour me replonger dans mes activités. Jusqu'à la fin de juin, j'ai été très occupé, je récoltais les retombées des nombreux contacts faits dans les six derniers mois de l'année 1949, en plus d'avoir à rencontrer les assurés de la Mutuelle d'Amos. J'ai quitté Ste-Germaine les derniers jours de juin. En passant par Amos, j'ai laissé le rapport de mes activités à M. Trefflé Bolduc, secrétaire gérant de la Mutuelle; il était très satisfait de mon travail.

De retour à Bonsecours, j'ai passé une journée à la ferme avec mes parents. Mon père a profité de mon passage pour me demander d'aiguiser sciottes, égoïnes et même sa scie à viande et un godendard! Je crois bien que c'est la dernière fois que j'ai pu aider à la ferme. La veille du 1er juillet 1950, je suis parti tôt avec eux pour St-Jean-Port-Joli. Mon père était émerveillé par la splendeur du paysage. De voir encore des clôtures de perches qui séparaient les fermes lui rappelait le souvenir de sa propre ferme, où il n'avait que ce type de clôture.

Notre cousin Léopold Larivée, propagandiste de l'UCC pour la fédération de Ste-Anne de la Pocatière, est venu chercher mes parents chez l'oncle Jean-Marie Chamard. Gilberte avait prévu que je passerais ma dernière nuit de célibataire chez son oncle Jean-Julien Bourgault, le frère de sa mère. Je me sentais honoré d'être reçu dans la belle maison neuve de ce maître-sculpteur qui était déjà connu dans toute l'Amérique. Antoinette Caron, femme de Jean-Julien, était d'une grande gentillesse en plus d'être une hôtesse hors pair. Je me suis senti très à l'aise avec eux. On voyait que ça leur faisait plaisir de rendre service à leur chère nièce Gilberte qu'ils aimaient beaucoup. Levé tôt le lendemain matin – le mariage était à 9 h – j'avais rendez-vous chez le barbier pour 7 h. Rien de trop beau pour ce grand jour! À 9 h, c'était l'entrée solennelle dans l'église de St-Jean-Port-Joli, au bras de mon père. Dans les minutes qui suivirent, ma Gilberte est arrivée au bras de l'oncle Jean-Marie Chamard. Il n'était pas encore dans la tradition que les femmes veuves conduisent leur fille ou leur fils à la cérémonie du mariage et servent de témoin. Dans le cas de Gilberte, elle était demeurée plusieurs années chez sa tante Yvonne, soeur de sa mère, mariée à Jean-Marie Chamard.

Mon mariage vu 50 ans plus tard

Difficile à dire comme à décrire, mes états d'âme de ce matin-là! C'est comme le triomphe d'avoir vécu dans la foi l'éducation reçue non seulement de ma famille, mais aussi de la société. Époque que Denise Bombardier appelle l'époque de l'eau bénite, du catéchisme et du confessionnal. Après toutes les difficultés que j'ai eues à vivre, j'ai toujours opté de faire confiance à la Providence et de vivre selon les enseignements évangéliques. Ce matin du 1ᵉʳ juillet 1950, le bonheur que je goûtais venait me confirmer que j'avais fait un choix providentiel... Tout était là pour me le confirmer, d'abord la femme que le Seigneur m'avait préparée et réservée de toute éternité. Elle était comme moi : troisième d'une famille de 11 enfants, élevée dans un milieu rural, et pas trop scolarisée. J'avais en plus de mon primaire été à l'école d'agriculture, alors que Gilberte avait fait deux ans d'école normale. Elle avait été dans les premières de sa paroisse à s'impliquer dans la fondation de la JAC avant d'être choisie comme secrétaire diocésaine. J'avais vécu le même cheminement à Bonsecours et dans le diocèse de Sherbrooke.

Mariage de Gilberte Bourgault et de Hilaire Boissé, le 1ᵉʳ juillet 1950.

50ᵉ anniversaire de mariage de Gilberte Bourgault et de Hilaire Boissé, le 1ᵉʳ juillet 2000.

Photos des frères et sœurs de Gilberte Bourgault et Hilaire Boissé, présents à leur 50ᵉ anniversaire de mariage, le 1ᵉʳ juillet 2000. Partant de la gauche, du côté des Bourgault, Marie-Marthe, Sr Rita, Monique, Madeleine, Conrad, Lucille, du côté des Boissé, Fernand Bouthillette et Éva, Jeannette, Léo Cliche et Jeanne, Sr Monique, Dominique et Lucienne Tessier. Assis à partir de la gauche, Donat et Gilberte Bourgault, Hilaire, Hubert, Simone et Sr Marie-Anna Boissé.

La semaine avant notre mariage, j'ai rencontré un ami pour lui faire part de mon projet et il m'exposa ses doutes sur le risque que je courais. « D'abord, dit-il, il est de tradition dans nos milieux ruraux d'appliquer le vieux dicton : marie-toi à ta porte avec une personne de ta sorte. Toi, tu es à 250 milles de chez elle, peut-être qu'elle a eu un enfant avec un autre homme ». Ce qui était un scandale dans le temps, marquant les familles qui se retrouvaient dans cette situation. Je lui ai répondu que même si on ne s'était rencontrés que cinq fois au cours des trois dernières années, j'étais sûr que Gilberte était celle que je méritais, que la Providence, étant ce qu'elle était pour ceux qui y croyaient, se manifestait pour moi en reconnaissance de mes engagements passés.

Après la cérémonie du mariage, ce fut la noce en plein air chez Yvonne et Jean-Marie Chamard. C'est là que nos parents se sont rencontrés pour la première fois. Pour nos deux mères, quelle ne fut pas la surprise de constater que les deux dames avaient chacune une robe pareille, comme prise dans la même pièce de tissu! Dans les deux cas, ces femmes avaient choisi le tissu chez un marchand et c'était une de leurs filles qui avait transformé le tissu et choisi le même patron pour en faire une robe. Pour la majorité des invités qui assistaient à la noce, nous étions deux inconnus qui se mariaient sans s'être fréquentés. Alors pour eux, en voyant nos deux mères avec chacune une robe pareille, c'était la confirmation que les nouveaux époux avaient fait un bon choix.

Après avoir fait un voyage de noces de quelques jours à St-Patrice de Rivière-du-Loup dans un complexe de cabines construites sur les falaises du St-Laurent, on est retournés à St-Jean-Port-Joli.

Ensemble, nous avons visité la parenté du coin tout en préparant des caisses avec l'aide de Donat, frère aîné de Gilberte. La caisse principale était bien sûr son coffre d'espérance, qu'elle avait commencé à remplir à l'âge de 14 ans. Les bagages qu'on ne pouvait emporter dans mon Ford 49 ont été placés à bord du train pour être expédiés à La Sarre.

La tournée de la parenté se continua ensuite dans les Cantons de l'Est. Ma mère avait presque préparé une seconde noce; mes parents étaient encore à la ferme paternelle du rang A. Frères, sœurs, oncles, tantes, cousins et cousines y étaient en grand nombre. Pour eux, c'était un événement extraordinaire : Hilaire, 28 ans, qu'on n'avait à peu près jamais vu avec une fille, se mariait avec une venue d'un autre coin de la province, il ne fallait pas manquer ça! Avant notre départ, petite tournée à Sherbrooke à l'école Noé-Ponton, au secrétariat de la JAC et à Magog pour saluer cousins et cousines, entre autres Hector Potier, sacristain d'une des églises de cette ville. Au couvent des Soeurs du Sacré-Coeur, je présente ma tendre moitié à une sœur de mon père, tante Béatrice, religieuse dans cette communauté depuis son jeune âge. Femme d'une bonté et d'une simplicité attachante.

Rassemblement de la famille Boissé à la ferme paternelle au Rang A, aujourd'hui propriété d'Éva, femme de Fernand Bouthillette.

Après avoir quitté Bonsecours, on s'arrête à l'hospice Gamelin des Soeurs de la Providence pour saluer la soeur de ma mère, soeur Ludivine-Marie, chef cuisinière de cette institution. Elle aimait bien les enfants Boissé et j'étais fier de lui présenter celle que le Seigneur m'avait choisie comme épouse.

Avant la remontée vers l'Abitibi, tant qu'à être à Montréal, nous avons fait une courte visite au siège social de l'UCC et aussi à l'oncle Pierre Boissé, un des frères de mon père, retraité des usines Angus du CPR, un gentleman d'une grande sagesse.

Rendus en Abitibi, on s'est arrêté à Guyenne rendre visite à Monique, la soeur de Gilberte, qui n'avait pu venir à la noce. Elle est mariée à Alphonse Dion, un des premiers défricheurs de la colonie. Aujourd'hui, leurs fils sont dans le commerce de l'automobile dans les villes d'Amos et de Rouyn-Noranda.

Cadeau de Ste-Germaine

À peine arrivés dans notre maison de Ste-Germaine, alors qu'on défaisait nos bagages et qu'on commençait à s'installer, deux personnages importants de la communauté vinrent pour nous saluer et nous faire une proposition. Il s'agit de M. Léon Côté, président de la commission scolaire et Florian Bégin, président de la Caisse populaire. On m'informa qu'Alfred Jean qui avait la charge de la gérance de la caisse et celle du secrétariat de la commission scolaire avait donné sa démission pour accepter la gérance de la Coopérative agricole de Clerval, et qu'il allait partir dans les jours qui suivraient. On nous expliqua qu'après une consultation dans le milieu et vu mon engagement social et économique, j'étais la personne qui pourrait relever le défi de prendre en main la gérance de la Caisse et le secrétariat de la commission scolaire. Nous répondîmes à ces messieurs que nous étions honorés de leur proposition, mais qu'on ne pouvait leur répondre sur le champ, de bien vouloir revenir le lendemain, ce qui nous donnerait le temps d'analyser cette proposition.

À leur départ, Gilberte se déclara prête à travailler avec moi dans le domaine de l'écriture, si j'acceptais la tâche, vu qu'elle avait de l'expérience, ayant déjà eu la charge du secrétariat de cinq organismes différents en même temps, avant qu'elle quitte St-Jean-Port-Joli pour aller travailler à Québec au secrétariat diocésain de la JAC. Pour ma part, sachant que la clientèle d'assurances n'était qu'à ses débuts, je trouvais intéressant d'accepter un travail additionnel, ce qui augmenterait nos revenus pour faire face aux besoins de l'organisation du foyer.

Le lendemain, nos deux présidents revinrent et on discuta de conditions salariales; nous acceptâmes 20 $ par mois pour la Caisse et 60 $ pour la commission scolaire. Je demandai une rencontre conjointe des deux présidents avec Alfred Jean pour avoir une idée de la situation afin de connaître les priorités d'action.

D'abord, la Caisse était en situation de crise, on avait trop prêté d'argent et les sociétaires ne pouvaient plus faire de retraits sur leurs comptes. On convint de faire une réunion spéciale des sociétaires, qui serait coprésidée par M. Robert Pelletier, inspecteur des caisses populaires du diocèse d'Amos.

Il est très pris par le gros problème de la Caisse de Val-d'Or qui venait de se faire arnaquer par son gérant. Celui-ci était de connivence avec la Coopérative de consommation pour siphonner la liquidité de la caisse qui avait dû fermer pour une période indéterminée. Cet événement avait donné la frousse aux petits épargnants de la région qui voulaient retirer leurs épargnes de la Caisse.

Malgré cette situation dramatique, M. Pelletier s'amena à cette réunion pour laquelle les sociétaires ont répondu fidèlement à l'invitation. On exposa les faits : l'actif de la Caisse est d'environ 30 000 $. Trois organismes différents étaient emprunteurs de la somme d'environ 20 000 $, soit :

– Syndicat de travail, de 8 à 10 000 $
– Syndicat de consommation, de 4 à 6 000 $
– Commission scolaire, de 5 à 7 000 $

De plus, environ 5 000 $ ont été prêtés aux sociétaires par tranches n'excédant pas 200 $.

D'autre part, certains de ces sociétaires avaient également emprunté 100 $ de la Caisse, pour acheter une part sociale dans le syndicat de travail. Mais par la suite, bon nombre d'entre eux, s'obstinèrent à devoir rembourser leur emprunt du fait qu'on leur avait fait miroiter que la rentabilité de ce syndicat serait tellement rentable, que des ristournes pourraient être distribuées promptement afin d'acquitter ainsi leur emprunt. Ce qui ne s'était pas produit.

Pour ce qui est du syndicat de travail, la majorité des membres étaient sur place, conscients que leurs opérations n'avaient pas été un succès financier et qu'il vaudrait mieux vendre les actifs : un gros tracteur à chenilles, un moulin à scie portatif et de l'équipement de chantier.

Pendant la réunion, M. Ovila Bégin offrit 7 000 $ comptant pour le tracteur et le moulin à scie. Ce fut accepté par le président Lucien Blais et on décida de passer le contrat le lendemain.

Paul Côté, gérant de la Coopérative agricole et de consommation s'engagea à travailler à la perception de ses comptes à recevoir et ainsi, à réduire son emprunt de moitié d'ici un mois. Pour ce qui est de la commission scolaire, le président proposa de rencontrer, avec le nouveau secrétaire, le notaire Jules Lavigne de La Sarre qui faisait la vérification des états financiers des commissions scolaires de l'Abitibi-Ouest et qui était consultant pour celles-ci.

La réunion se termina dans l'harmonie et le lendemain M. Bégin me demanda de l'accompagner chez le gérant de la Banque de Commerce de Duparquet. En garantie sur le prêt, ce dernier prit le tracteur, le moulin à scie et les deux maisons que l'acheteur possédait dans le village. On repartit avec un chèque de 7 000 $ que l'on déposa à la Caisse. Tout le monde se passa le mot : la Caisse est

« dégelée ». La confiance renaquit : retraits et fermetures de comptes cessèrent.

À la Commission scolaire, là aussi il y avait d'autres urgences. Il y avait deux promesses d'octrois en dossier : une pour payer le reste des salaires dus aux institutrices qui avaient terminé en juin, et une autre pour la construction d'une école neuve au village, avec trois classes et un logement pour les religieuses qui entreraient en septembre. Comme la Caisse était « gelée », le secrétaire ne savait quoi faire pour l'avancement de ces dossiers, le tout restait en plan.

Alors, avec le président de la commission scolaire, on se présenta chez le notaire Lavigne qui examina la situation avec nous. Il nous suggéra finalement de rencontrer M. Bélanger, gérant de la Banque Nationale, ce que nous fîmes en le quittant. On se rendit à la banque et le gérant nous fit des avances sur cession d'octrois. Dans les jours qui suivirent, nous signâmes, avec Louis Morin, le contrat de la construction de la nouvelle école.

Fin juillet, la Caisse était sur les rails et la commission scolaire aussi. Il fallait s'attaquer au recrutement d'une demi-douzaine d'institutrices pour l'ouverture des classes en septembre. On publia des offres d'emplois dans *La Terre de Chez Nous* et dans les journaux régionaux. Ce fut un été fort occupé, tant dans les assurances qu'à la gestion des deux organismes qui m'avaient été confiés. Avec le président de la commission scolaire, nous assistâmes à la bénédiction de l'école St-André de La Sarre, belle occasion pour rencontrer les responsables du monde scolaire de la région. On me présenta le député Émile

Lesage qui me félicita pour avoir su tirer la commission scolaire de l'impasse vécue au milieu de l'année. Il me demanda si j'accepterais de conseiller d'autres conseils scolaires de la région lorsqu'ils recevraient une subvention de construction d'école afin d'organiser leur financement en attendant le versement de l'octroi.

Avec du recul, je me dis que c'était un cadeau reçu de Ste-Germaine, parce qu'à travers ces activités à peu près pas rémunérées, je me suis bâti tout un nouveau réseau de connaissances qui m'ont permis de m'instruire dans tous les domaines. J'ai eu à conseiller plusieurs commissions scolaires, et toutes ont été très reconnaissantes en me confiant leur portefeuille d'assurances, de sorte que lorsqu'on a formé la commission scolaire régionale avec les trente et une commissions scolaires, seulement une n'était pas à mon bureau : le président était le beau-frère d'un autre assureur!

Pour ce qui est de la gestion de ces organismes, durant l'hiver, à Lévis, j'ai participé à un colloque pour les gérants de caisses, ce qui m'a bien éclairé dans mon travail. À la commission scolaire, j'ai été formé à force de rencontrer d'autres secrétaires de différentes paroisses de la région. Après avoir occupé mes cinq dernières années à des travaux manuels, je vivais tout un choc culturel! Habitué à vivre en célibataire pour soudain passer à l'apprentissage de la vie de couple, quelle agréable différence! On se plaisait non seulement à vivre ensemble, mais aussi à travailler. Gilberte avait une très belle écriture, on correspondait encore à la main. Elle formait bien ses lettres et ses chiffres. Ce sont de beaux souvenirs pour l'histoire. Nous avions établi des heures de bureau, lequel était situé dans la résidence de M. Ovila Bégin. J'essayais d'être au bureau les lundis, mercredis et vendredis. Si je devais m'absenter pour rendre visite à des clients, Gilberte me remplaçait allègrement en ne dépassant pas les bornes des responsabilités qui lui étaient confiées. Les gens aimaient son accueil. Elle acquérait de l'expérience tout en prenant des responsabilités.

En décembre, Hector Joyal, qui a quitté l'UCC d'Amos est devenu directeur-rédacteur de la *Gazette du Nord* éditée à Val-d'Or. Il me proposa de faire une tournée de renouvellement d'abonnements dans l'Abitibi-Est. Je me rendis souper chez lui et sa femme Yvette Dore, sœur du poète-chanteur Georges D'Or. J'acceptais d'aller chercher ce petit revenu supplémentaire qui m'était proposé. Ce ne fut pas l'expérience la plus agréable de ma carrière... Au bout de deux courtes tournées, je lui ai remis ma démission réalisant que je n'étais pas qualifié pour ce genre de travail.

J'ai donc passé l'hiver avec Gilberte à tenir à jour les dossiers de la clientèle d'assurances, ceux de la Caisse populaire, ainsi que de la commission scolaire, où c'était plus actif. Nous devions commencer les démarches en vue de remplacer deux écoles de rang; la procédure était assez longue si on voulait obtenir ces nouveaux locaux pour septembre 1951. Au printemps de cette année, la demande en assurances automobile a été très active, les gens gagnaient de meilleurs salaires dans les chantiers, et les garages des villes d'Amos, La Sarre et Rouyn-Noranda coopérèrent beaucoup.

Au cours de la saison hivernale, nous avons souvent été à des rencontres familiales, surtout chez les Bégin, soit Ovila, Wilfrid, Hormidas ou Wilbrod, le plus aventurier. Sans le savoir, ces rencontres d'amitié où l'on discutait à travers les parties de cartes – ce que je ne dédaignais pas, j'ai toujours aimé jouer au « 500 » – étaient un peu comme un forum où on analysait toutes sortes de projets pour le bien-être de la communauté.

Un de ces soirs, on attira mon attention sur le fait que maintenant que l'ensemble de nos organismes paroissiaux fonctionnait bien, il serait temps de songer à l'érection de notre territoire paroissial en corporation municipale. Dans la discussion, on fit consensus pour dire que ce projet pourrait être mis de l'avant par la commission scolaire, seul organisme juridique de la paroisse. D'ailleurs, pour l'évaluation des propriétés aux fins de taxation scolaire, nous comptions sur la municipalité de Palmarolle. Ce fut donc un nouveau mandat bénévole pour le secrétaire de la commission scolaire. Dans les mois qui suivirent, à travers mes déplacements vers ma clientèle d'assurés, j'ai profité de toutes les occasions pour me renseigner sur ce sujet, entre autres auprès du notaire Jules Lavigne et du maire de Palmarolle, M. Émilien Bégin et aussi en correspondant avec le ministère des Affaires municipales du temps.

Au fil des mois et des rencontres, on en est arrivé à la nécessité de préparer un plan cadastré de la future municipalité. Quelqu'un me suggéra de rencontrer un arpenteur-géomètre de Macamic à la retraite qui pourrait peut-être préparer ce document. Lors de notre rencontre, il me demanda : « Combien avez-vous d'argent à consacrer pour ce contrat? » Honnêtement, j'aurais dû lui dire que nous n'avions pas un sou parce qu'on n'existait pas encore, mais j'ai eu une inspiration soudaine et me suis souvenu qu'à la caisse, nous avions terminé la liquidation du Syndicat de travail et qu'il restait 80 $ dans le compte. Alors, je me compromis et lui offris cette somme, avant de demander la permission au président, M. Lucien Blais. L'arpenteur-géomètre accepta et quelques mois plus tard, il m'informa que le document était prêt.

Au cours des années qui suivirent, on obtint les résolutions des municipalités qui environnaient le futur territoire municipal de Ste-Germaine, soit : St-Laurent de Gallichan, Ste-Rose de Poularies, Duparquet et Palmarolle. Ce n'est qu'en avril 1954 que fut tenue la réunion de fondation et d'élection du maire et des conseillers municipaux. La salle paroissiale était remplie, ce qui démontrait l'intérêt de la population. C'est le maire de Palmarolle, M. Émilien Bégin qui avait accepté de présider cette importante réunion. Petite anecdote que je n'ai jamais oubliée, un homme dans la salle demanda la parole au tout début de la rencontre. On la lui accorda. Il avisa l'assemblée de voir à ne pas élire une personne trop instruite comme maire, parce que dans sa paroisse d'origine, un maire instruit avait mis la municipalité dans l'embarras par les dettes contractées. Le président le remercia et on continua la réunion. C'était facile de se conformer à ce désir : aucun universitaire n'était dans la salle!

C'était agréable de vivre avec cette sympathique

population dont le taux de scolarisation était très bas, sans doute à l'image de la majorité des paroisses de colonisation de la région. Bon nombre de personnes qui avaient une lettre sérieuse à faire écrire allaient à La Sarre voir le notaire Lavigne. À notre arrivée, Gilberte et moi étions devenus leurs bouées de sauvetage, ils n'avaient plus besoin de se rendre à La Sarre. Un jour, Gilberte a accueilli un veuf qui voulait faire rédiger une lettre de sollicitation en mariage à une veuve de la Beauce. Dans mon cas, j'ai eu à répondre à une des lettres que j'avais moi-même écrite à un paroissien pour un autre paroissien. Que de beaux souvenirs!

Après deux ans d'expérience, le travail de secrétariat de la commission scolaire et la gérance de la Caisse populaire étaient déjà devenus une routine pour nous deux. Le troisième automne, M. Boutin des chantiers coopératifs me proposa un emploi de commis dans un chantier coopératif de baie Caron qui comporterait deux camps; la comptabilité en était confiée à mon ami Guy Boudreau, un jeune de Bonsecours que je connaissais bien. C'est pourquoi, après discussion et évaluation avec Gilberte qui était d'accord pour s'occuper de la correspondance d'assurances, de la Caisse et de la gestion de la commission scolaire, j'acceptai ce poste. Plusieurs hommes de Ste-Germaine feraient partie de cette opération.

Cette proposition tombait à point, nous avions déjà deux enfants – Louise et Georges – et nous avions ma sœur Jeanne comme aide familiale. De plus, la famille augmentant, nous avions dû agrandir la maison, ce qui avait tout grugé les économies et même plus, car j'ai été obligé de majorer l'hypothèque sur la maison auprès de M. Ovila Bégin. Gilberte s'est donc occupée seule de toutes ces responsabilités que nous partagions habituellement à deux.

L'hiver s'est passé sans histoires et nous filions la belle vie tout en participant à la vie paroissiale et régionale. Je continuais d'apprendre mon métier d'assureur en ayant à couvrir des risques qui étaient différents d'année en année. Pour ma formation, je n'avais que la rencontre annuelle des agents de l'UCC où j'apprenais beaucoup. J'avais le goût d'en connaître davantage, mais où aller? Coïncidence, je reçus une invitation du directeur général de l'Association des courtiers d'assurances de la province de Québec à une rencontre de tous les agents sous licence avec le gouvernement du Québec. Je ne connaissais pas cette association qui n'avait que trois membres en région : Charles Guilbault de Rouyn-Noranda, Jacques Bouchard d'Amos et Donat Godbout de Val-d'Or. M. Jean-Charles d'Auteuil, qu'on pourrait appeler le missionnaire de l'Association, tellement il en parlait avec conviction, avait à coeur de faire des intervenants en assurances, des gens d'une grande connaissance de leur profession et d'une probité irréprochable. Cette rencontre m'a prouvé que je ne connaissais pas grand-chose en assurances.

À la vingtaine de participants, il a proposé des cours qui nous permettraient d'obtenir le titre de courtier d'assurances agréé. Il y avait des cours qu'on pouvait suivre avec les différents volumes qui étaient disponibles alors. J'ai donc adhéré sans hésitation et j'ai dévoré les

Hilaire Boissé, C.D.A.A.

Courtier d'assurances agréé,
La Sarre

Hilaire Boissé: nom réputé à travers l'Ouest Québecois. D'un bout à l'autre de nos quatre comtés, cet homme d'affaires dynamique et travailleur a fait sa marque. En quinze ans seulement, il a réussi à effectuer une montée en flèche dans nos cercles financiers et jouit aujourd'hui d'un prestige incontesté.

Sherbrooke l'a vu naître le 12 janvier 1922. Son père, Moïse Boissé (décédé), était cultivateur et avait épousé Marie Rose Lemay. Il a fait ses études commerciales et agricoles au Collège de St-Césaire, où en 1943 il se classe parmi les finissants. Ses débuts dans l'assurance remontent à 1949, époque de son arrivée dans la région. Reçu courtier d'assurances agréé en 1954, il devient acquéreur, en 1955, du plus important bureau d'assurances de l'Abitibi Ouest, celui de M. Lucien Mercier de La Sarre, ville où il a élu domicile il y a dix ans. L'entreprise dont il est président porte maintenant le nom de H. Boissé Assurances Limitée. Avec son siège social à La Sarre et après avoir eu des succursales à Rouyn, Amos, Barraute et St-Bruno de Guigues, elle possède un vaste champ d'action. M. Boissé détient aussi la présidence de la firme Boissé, Blanchard & Crépault Inc., qui assure à l'échelle provinciale des risques industriels, commerciaux, ou de catégories équivalentes. Trésorier de la Continental Discount Corporation et du Crédit La Vérendry Ltée, maisons de finance dont les intérêts, partant de La Sarre s'étendent à toute la région et en franchissent même les limites pour englober Mont-Laurier et Québec, M. Boissé est du calibre des grands financiers et a devant lui le plus brillant avenir. Il faut dire aussi qu'il a l'art de s'entourer de collaborateurs efficaces et consciencieux et de faire régner au sein de son entreprise un esprit d'équipe remarquable.

Sans doute les antécédents de M. Boissé y sont-ils pour beaucoup dans ce sens aigu de l'organisation, cet esprit d'initiative sans cesse aux aguets dont il fait preuve dans ses affaires. Président diocésain de la Jeunesse agricole catholique de 1944 à 1949, il n'a cessé depuis son arrivée parmi nous de se dépenser dans le mouvement de la Chambre de Commerce. Tout d'abord président de la Chambre de La Sarre, il devient administrateur régional puis membre du conseil de l'exécutif provincial. N'eussent été ses obligations professionnelles en Abitibi, son nom figurait parmi les éventuels présidents des Chambres de Commerce du Québec. Conseiller de l'Association des Courtiers d'Assurances de la province de Québec, M. Boissé est le président fondateur et un conseiller actuel de l'Association régionale des Courtiers d'Assurances. Caritas-Abitibi et le Séminaire d'Amos lui sont aussi redevables de leur avoir consacré de nombreux loisirs.

De son mariage avec Mlle Gilberte Bourgault, de St-Jean-Port-Joli, le 1er juillet 1950, sont nés six enfants: Louise, Georges, Céline, Hélène, Jean et Guy.

Bureau : 140, 2ième Rue Est.

Domicile: 271, 2ième Rue Est, La Sarre.

Hilaire Boissé, C.D.A.A., Courtier d'assurances agréé, La Sarre.

volumes qu'il nous avait envoyés. Au printemps, j'ai passé les examens au collège classique de Rouyn-Noranda sous la surveillance d'un bon père oblat. L'étude de ces volumes a été une révélation; j'y découvris la multitude de contrats d'assurance qui existaient, ce fut un instrument d'ouverture d'esprit qui donnait le goût de devenir un professionnel des assurances. J'ai commencé à avoir le pressentiment qu'il se passerait quelque chose dans ma vie.

À Ste-Germaine, il y avait beaucoup d'activités à la commission scolaire qui avait construit deux autres écoles de rang et procédé à l'agrandissement du couvent. Pour les travaux de cet agrandissement, le contrat fut octroyé à messieurs Marcotte et Michaud de La Sarre. Au cours de l'exécution de ces travaux, j'ai eu l'occasion de discuter souvent avec eux, non seulement de leurs besoins d'assurances, mais aussi du développement de la région. Et presque à chaque rencontre, ils me proposaient de déménager à La Sarre, c'était le centre pour faire des affaires dans tout l'Abitibi-Ouest. De fait, j'avais des clients dans toutes les paroisses de la région. Ce n'était pas une proposition qui m'attirait beaucoup, on était dans le tranquille petit village de Ste-Germaine, nous avions maintenant trois enfants qui faisaient notre bonheur, on n'en demandait pas plus.

Au début de 1954, réalisant que les assurances rapportaient assez de revenus, nous décidâmes de chercher un remplaçant, tant à la Caisse qu'à la commission scolaire. Je proposai aux deux conseils de me trouver un remplaçant et d'accepter la présidence des deux organismes afin de pouvoir l'entraîner. Les deux conseils approuvèrent ma proposition et M. Adélard Turgeon accepta la responsabilité. Cet événement coïncida avec la fondation du premier conseil municipal et l'élection de M. Turgeon comme premier maire de la municipalité. Tout le monde était heureux, la Caisse retourna dans le salon de Mme Ovila Bégin, comme en 1950.

Un tournant s'annonce

Il y a un auteur-compositeur qui a fait une chanson disant qu'un bon matin il y aurait quelque chose qui arriverait. Alors, un de ces matins du début de décembre 1954, Marcel Laganière, un ami inspecteur de colonisation m'appela de son travail à La Sarre pour me dire qu'il venait de recevoir la visite de Lucien Mercier, propriétaire d'un bureau d'assurances générales, qui lui offrait d'acheter son bureau. Ce dernier avait décidé de se retirer de cette activité. Mais M. Laganière ne souhaitait plus devenir mon associé pour l'achat de ce bureau à cause de l'ancienneté accumulée par ses années de travail au ministère de la Colonisation. De plus, envers ses responsabilités familiales, il ne pouvait prendre le risque de faire cet achat. M. Laganière me conseilla donc d'appeler Lucien Mercier parce qu'il m'avait proposé comme acheteur éventuel.

J'en parlai avec Gilberte et on convint qu'après tout, on

pourrait l'appeler pour connaître ses conditions. J'attendis quelques jours, question de réfléchir et de demander conseil pour avoir une idée du prix à payer.

J'appelai mon ami Fernand Patry à Lévis, il était inspecteur de la Société d'assurances des caisses populaires avec laquelle je plaçais déjà passablement d'affaires que l'UCC ne pouvait prendre. Il vit la transaction d'un bon oeil et me donna des paramètres à respecter dans mes négociations avec le vendeur. Celui-ci, impatient de recevoir mon appel, talonna Marcel Laganière pour savoir si la chose m'intéressait, sinon il chercherait un autre acheteur.

Dans cette période de tergiversations, je reçus mon certificat de membre de l'Association des courtiers d'assurances de la province de Québec accompagné du résultat des examens passés six mois plus tôt. Par ce fait, je fus autorisé à ajouter les lettres C.D.A.A. (courtier d'assurances agréé) à ma signature.

Premier signe qui m'indiqua que je pouvais faire un pas vers cet achat éventuel. Par téléphone, j'obtins rendez-vous au bureau de Lucien Mercier. Le local était au troisième étage du Théâtre La Sarre, endroit où est situé aujourd'hui le restaurant Mike's. Le local était propre et en ordre. Lucien Mercier me présenta la secrétaire qui travaillait avec lui, Josée St-Arneault-Langevin. À en juger par l'état des dossiers et le rangement du local, j'en déduis qu'elle était compétente.

On examina la clientèle et l'éventail des compagnies représentées par l'agence; pour moi, ce serait un plus car aucune de ces compagnies ne faisait affaire avec moi. Il avait écrit 60 000 $ de primes depuis deux ans. Il évalua son ameublement de bureau à environ 1 500 $ et l'achalandage de sa clientèle à 15 000 $, le tout devrait être payé comptant. J'avais des économies pour l'achat de l'ameublement, mais pour les 15 000 $ c'était une autre affaire. Le vendeur désira que la transaction fût en vigueur le 1ᵉʳ janvier 1955. Donc, si on trouvait l'argent, la transaction serait une bonne chose.

Dans le milieu des affaires de La Sarre, la nouvelle circulait et on spéculait sur l'acheteur éventuel. Je reçus des propositions d'associations de personnes impliquées dans la politique. Il faut dire que c'était la belle époque du *patronage* à la Duplessis. À travers ces propositions, je rencontrai Joseph Fortier, agent d'immeubles de La Sarre et on discuta de possibilités d'emprunt auprès d'individus; on tenta notre chance, mais rien ne fonctionna. Un de ces après-midi, il arriva avec une proposition différente. Il représentait une entreprise de prêts hypothécaires, St-Onge et Fournier d'Amos, les prêts se faisant sur garanties hypothécaires. Alors, pour calmer l'impatience de Lucien, qui trouvait que ça n'avançait pas vite, il conseilla que je lui donne 10 000 $ comptant. Il prendrait un billet pour le reste parce qu'il avait quelqu'un qui était prêt à lui escompter ce billet. C'était un pas de fait. M. Fortier, qui connaissait bien le marchand général Louis Morin de Ste-Germaine, me proposa de lui demander son endossement pour 10 000 $ en mettant son immeuble en garantie, et qu'en compensation je lui paierais ses primes d'assurance incendie et 25 $ par mois aussi longtemps que durerait cet endossement.

C'est un samedi que je reçus cette suggestion, je me donnai jusqu'après la messe du dimanche pour aller lui en parler. Ce que je fis. Surprise! il accepta. M. Fortier m'informa qu'en plus, je devrai verser une première hypothèque sur la maison de Ste-Germaine. Je devais un petit montant à M. Ovila Bégin, il consentit à un billet d'un an pour donner mainlevée sur la maison. Tous les éléments étaient donc réunis pour que la transaction se réalise. Ce fut le notaire Jules Lavigne qui prépara le contrat, les actes d'hypothèques et de prêt.

Une fois la transaction réalisée, je voyageais vers Montréal avec mon vendeur qui m'avait proposé de m'accompagner et de me présenter aux dirigeants des compagnies avec lesquelles il traitait. On fut bien accueillis partout, surtout à la Guardian, celle qui recevait le plus d'affaires de Lucien Mercier et qui m'avait refusé leur agence deux ans plus tôt, disant qu'il n'y avait pas d'avenir pour un courtier d'assurances à Ste-Germaine.

C'était un peu une nouvelle vie qui commençait : d'abord, apprendre à travailler avec une secrétaire, puis choisir ce que je devais déléguer comme travail et ce que je devais effectuer moi-même. Ce fut facile, Mme Langevin avait une bonne expérience de gestion du bureau car son patron s'absentait souvent et elle était donc habituée à prendre des responsabilités. Elle me demanda un congé de 20 minutes chaque matinée parce que, sur le même plancher, à la porte voisine, c'était la station de radio CKLS et elle y animait une émission de 15 minutes à l'intention de l'auditoire féminin.

J'ai envisagé cette étape avec une grande confiance,

j'étais sûr du succès, me disant qu'au pire, le chiffre d'affaires que je développais à Ste-Germaine (40 000 $ de primes par année) serait suffisant pour faire face aux obligations contractées. Et, de fait, au début de 1955, j'avais une base de 60 000 $ d'affaires du bureau de Lucien Mercier, ce qui faisait 100 000 $. En fin d'année, j'avais écrit 120 000 $. Ce sont de bien petits chiffres aujourd'hui, mais dans ce temps, c'était un succès.

À la fin de l'été, ma secrétaire m'annonça que son mari, qui travaillait comme technicien à la coopérative d'électricité d'Abitibi-Ouest, avait accepté une offre d'emploi de Radio-Nord comme technicien en communication à Rouyn-Noranda. Elle proposa d'engager une nouvelle secrétaire et de voir à son entraînement avant son départ.

Ce n'était pas dans nos projets de demeurer à Ste-Germaine et de voyager quotidiennement au bureau de La Sarre. Après avoir vendu notre maison à Valérien Bégin, pendant quelques semaines, nous en avons cherché une autre qui nous conviendrait avec nos trois enfants... et il n'était pas dit qu'il n'en naîtrait pas d'autres! À l'intérieur de la ville, on n'a rien trouvé qui nous plaisait. Cependant, à l'entrée sud de La Sarre, au bord de la ville, une petite maison construite depuis peu était à vendre. On consulta nos amis avant de prendre une décision. L'amie Rita Beauchemin nous conseilla d'y aller avec cette maison en bordure de la ville, ça nous permettrait de mieux conserver notre esprit rural; c'était l'opinion de l'ancienne secrétaire nationale de la Jeunesse Agricole Catholique Rita Beauchemin, qui avait grandi dans la ruralité.

La première maison habitée à La Sarre, 1955-1957.

En mai 1955, nous déménagions dans cette nouvelle résidence à La Sarre. Notre premier voisin était le garage Beaudry Lapointe construit l'année précédente.

Sur le plan émotionnel, ce fut très pénible de quitter Ste-Germaine; je me souviens qu'en suivant le camion de déménagement, en passant devant chez Ulric Chabot et Norbert Tousignant, nous pleurions comme deux enfants. Nous avions vécu tellement d'heureux moments auprès de ces gens d'une aussi grande bonté et générosité! On ne pouvait oublier tous ceux que nous avions côtoyés à la Caisse et surtout à la commission scolaire où nous avions accueilli les religieuses quand leur couvent n'était pas prêt, nous les avions alors installées dans la salle paroissiale. Aussi, l'accueil fait à une quinzaine d'institutrices recrutées en dehors de la paroisse et de la région au cours des cinq années consacrées à la cause de l'éducation.

Gilberte, une ancienne enseignante, a été un support moral pendant leur période d'acclimatation à la région et les a aidées à mieux vivre leur dépaysement. Pour plusieurs, avec le recul du temps, on peut dire que les choses n'ont pas si mal tourné car elles ont trouvé mari. Aujourd'hui, c'est toujours un plaisir pour moi de les revoir après 50 ans.

Au bureau, après deux ans, le chiffre d'affaires avait doublé et je sentais le besoin de recruter quelqu'un de confiance qui pourrait travailler avec moi et prendre en charge la comptabilité, travail que j'aimais le moins dans l'entreprise. Par hasard, un certain Cossette de la Mauricie que j'avais connu à la JAC s'était montré intéressé, mais au bout de quelques mois, il m'avisa qu'il s'était trouvé un emploi près de chez lui et que le dépaysement ne lui souriait pas.

Alors survint une proposition de Émile Grondin, l'ami de Mégantic qui avait travaillé avec moi à Baie-Comeau. Il était mon compagnon de voyage lors de ma première visite en Abitibi en 1949 et, après Baie-Comeau, il travaillait sporadiquement pour la Fédération des chantiers coopératifs. Il était maintenant intéressé à un métier plus stable. Il me proposa donc de travailler avec moi à de très bonnes conditions. On en discuta avant qu'il prenne des vacances dans sa famille à Mégantic, et il revint un mois plus tard, bien décidé à apprendre le métier d'assureur tout en étant responsable de la comptabilité. À cette époque, Mme Langevin avait quitté son poste et les deux sœurs Déry, Lise et Lorraine, qui avaient étudié dans un pensionnat de North Bay avaient pris la relève. Je le dis encore aujourd'hui : deux bonnes petites filles avec lesquelles il était agréable de travailler. Filles honnêtes, travaillantes et responsables; je pouvais m'absenter du bureau quelques jours sans m'inquiéter. Pendant toutes les années où elles furent au bureau, je n'ai jamais eu de reproches à leur faire et leur présence me sécurisait dans la gestion de mon entreprise qui progressait.

Au fil des mois, avec l'augmentation du personnel, on commençait à se sentir à l'étroit dans notre local situé à un troisième étage, ce que nous trouvions aussi désagréable pour les clients qui avaient deux longs escaliers à gravir pour atteindre le bureau.

En 1958, la Coopérative d'électricité achète La Sarre Power dont le bureau était à deux portes du théâtre, avec entrée sur la rue principale au premier plancher. Le propriétaire de l'immeuble, Gérard Lambert, proposa un plan de réaménagement du local de La Sarre Power qui permettrait à la Caisse populaire, au bureau du notaire Jules Lavigne et à moi-même d'avoir notre porte d'entrée au premier plancher sur la rue principale.

Je réalisais que M. Lambert avait maintenant confiance en moi. Lors de la transaction de l'achat du bureau d'assurances de son beau-frère Lucien, c'est lui qui avait escompté à la banque le billet de 5 000 $ que je lui avais signé, et il avait insisté pour être désigné comme premier créancier sur la propriété du bureau si je ne respectais pas ma signature. Mais, au bout de 6 mois, le billet était payé à la Banque Impériale de Commerce. Il s'était dit très soulagé de ne pas avoir à reprendre le bureau de Lucien. Je comprends qu'à cette époque, pour la communauté des affaires de La Sarre, j'étais un nouveau joueur qui arrivait d'un petit village, il fallait prendre ses précautions. Après l'installation dans ce nouveau local – qui fut un peu comme la consécration de mon implication dans le monde des affaires de la région – je réalisais qu'un climat de confiance s'établissait de jour en jour avec la population.

La plus grande preuve que cette confiance s'était développée me fut manifestée lorsqu'on m'invita à une réunion du conseil d'administration d'une compagnie de finance (fondée depuis deux ans), alors qu'ils avaient besoin de toute une panoplie de couvertures d'assurances. J'assistai donc à cette rencontre où on m'exposa les besoins, à savoir : assurance-incendie sur le contenu du local avec responsabilité; comme ils faisaient du financement d'équipement – comme machinerie et scies mécaniques – ils voulaient pour faire face à la concurrence, obtenir les mêmes couvertures d'assurances, soit « tous risques » sur l'équipement financé et une assurance-vie sur l'emprunteur en cas de décès. Comme il y avait déjà quelques employés, leurs bailleurs de fonds leur suggérèrent d'avoir une garantie de fidélité couvrant vol et détournement de fonds. Belle commande qu'ils avaient donnée à un autre courtier quelques mois auparavant, sans aucun résultat.

C'était un beau défi! On me donna un mois pour présenter une proposition. Au lieu de faire une recherche à travers les compagnies que je représentais, j'appelai mon ami André Blanchard, gérant de Stewart Smith Co. Ltd. que j'ai connu lors de ma visite avec Lucien Mercier en

1955 pour les transferts d'agence. C'était le gars le plus sympathique rencontré à cette occasion. Il me dit : « Prends le train et viens me voir à Montréal ». Après deux jours de rencontres diverses, je revins à La Sarre et dans les jours qui suivirent, je reçus le détail des primes pour les différentes couvertures requises.

En réunion avec le conseil de l'entreprise, les membres furent renversés de recevoir aussi rapidement des explications claires avec le détail des coûts ainsi que la description des rapports à fournir mensuellement. Sur le champ, on m'autorisa à faire le nécessaire pour l'émission des différents contrats. Quelques mois après l'émission des contrats qui étaient à la satisfaction de l'assuré, le président Dr. Fernand Doyon s'amena au bureau et me fit part de sa surprise de voir qu'en si peu de temps, j'avais réussi à régler ce problème qu'ils essayaient de résoudre sans succès avec un autre courtier. Avec enthousiasme, il me parla de l'avenir de la jeune société dont il dirigeait la destinée. Pour lui, on ne pouvait pas parler finances sans parler assurances, il me proposa de devenir actionnaire et de me donner le titre de secrétaire attitré aux assurances. Je fus flatté de la proposition, mais je ne vis pas bien comment réussir l'achat d'actions parce que ma liquidité financière était engagée dans mon entreprise. Au bout de quelques jours, connaissant ma situation financière décrite auparavant, il revint avec son associé, le notaire Marc Lavigne. Celui-ci avait monté la structure financière de cette entreprise qui s'appelait « Corporation d'Escompte Continental » Il me proposa de devenir actionnaire sans que j'aie à débourser d'argent en escomptant les hypothèques que je détenais sur les deux petites maisons dont j'avais été propriétaire antérieurement, soit celle de Ste-Germaine et celle du coin du Rang 5 en entrant à La Sarre. J'ai trouvé la proposition intéressante pour deux raisons, comme placement d'abord, j'avais confiance en ces hommes d'affaires, et aussi pour la clientèle que cette entreprise apporterait au bureau. La région se développait

La deuxième maison que nous avons habituée à La Sarre, 1957-1974.

et je voyais de plus en plus de clients qui s'achetaient des voitures financées par les trois grands de l'époque, soit GM pour leurs produits ainsi que Ford et Chrysler, Traders ou IAC (Industrial Acceptance Corporation).

De fait, j'avais vu juste, peu après, Continental était aussi bien équipée que ses concurrents sur le plan des couvertures d'assurances. La compagnie a pénétré le marché du financement d'automobiles et fait la vie dure aux concurrents. À cette époque, les banques n'étaient pas dans ce champ d'activités ni les caisses populaires. Cette compagnie de finance s'est donc développée rapidement et les vendeurs d'autos et de meubles de Rouyn-Noranda, d'Amos et de Val-d'Or réclamèrent l'ouverture de succursales chez eux. En trois ans, des bureaux se sont ouverts dans ces endroits et même à Mont-Laurier. La direction de Continental, avec Gilles Gauthier comme directeur général, me sollicitait d'ouvrir une succursale près de leur bureau, je me suis laissé convaincre et j'ai entrepris les démarches. J'ai trouvé le personnel nécessaire assez facilement, tant pour l'administration à La Sarre que pour dans les succursales.

La première ouverture eut lieu à Rouyn-Noranda en même temps que le bureau de Continental. Je me souviens de la réflexion d'un invité qui était client de Continental et du bureau d'assurances, qui trouvait que ça sentait la prospérité. Pour avoir un petit bassin de clientèle, nous avions acheté les dossiers du bureau de Drouin, Dubois & Sigouin, dont le propriétaire unique était M. Dubois, qui déménageait à Lorrainville et ne gardait que les dossiers de ce village et des environs immédiats.

Quelques mois plus tard, ce fut l'ouverture d'un bureau à Amos où nous avons acheté le bureau de Pierre Trudel. Nous avons eu la chance d'engager Claude Ferron, qui laissait son emploi comme agent de réclamations pour Merritt Insurance (qui couvrait collisions, feux et vols des voitures financées par IAC).

Plus tard, comme on explorait la possibilité d'ouvrir à Val-d'Or, M. Legault, qui avait un bureau d'assurances à Barraute, décida de quitter la région et nous offrit son entreprise – qui n'était pas à Val-d'Or, mais pourrait desservir Continental. C'était une entreprise qui était déjà rentable. Nous avions le courtier Gérard Morin qui travaillait au bureau de Rouyn-Noranda depuis quelques mois et ce, suite à l'achat de son entreprise l'automne auparavant. Le pauvre, toutes ses affaires ou presque étaient placées avec la compagnie d'assurances Zenith qui a fait faillite quelques mois plus tard. Comme directeur de l'Association provinciale des courtiers d'assurances, j'avais été informé de la situation financière de cette compagnie. Alors, lorsqu'il nous a offert son bureau, Gaston Pratte était le gérant du bureau de Rouyn-Noranda et avait demandé un congé sans solde pour construire le centre de ski du mont Kanasuta. J'ai donc posé mes conditions à Gérard Morin : on va t'embaucher et acheter ton bureau à condition que tu t'engages à remplacer d'ici 10 jours toutes les polices de la Zenith, ce qu'il a fait. Il ne l'a jamais regretté, parce qu'un mois plus tard, il avait reçu tous ses crédits d'annulation de polices et quelques jours plus tard, la compagnie déclarait officiellement faillite. Alors, il était très sensible aux propositions qu'on pouvait lui faire. Donc, avec lui, on est allés rencontrer le propriétaire du bureau de Barraute et je lui ai proposé d'en prendre la gérance, ce qu'il a accepté après qu'il ait revisité la maison avec sa femme, car il nous fallait acheter la résidence dans laquelle le bureau était installé. Après qu'Angèle eut visité la maison avec son Gérard, tous deux furent d'accord pour déménager à Barraute. Cet arrangement réglait une autre situation parce qu'en donnant congé à Gaston Pratte, c'était Aurèle Regaudie qui devenait gérant du bureau de Mont-Laurier, que nous avions vendu à Jean Duval du lac Saguay. Ce dernier rêvait de s'installer à Mont-Laurier et c'était pour lui une occasion en or de réaliser son désir. Et Aurèle Regaudie était heureux de revenir dans sa ville natale. Solution idéale parce qu'au retour de Gaston Pratte en mai, on se serait retrouvé avec trois courtiers dans le même bureau et le chiffre d'affaires ne le justifiait pas.

Avec le développement, tant de la compagnie de finance que du bureau d'assurances, nos locaux administratifs étaient devenus trop étroits, alors sur l'insistance de la direction de Continental, j'ai accepté de faire construire un immeuble à bureaux au coin de la 5ᵉ avenue et de la 2ᵉ Rue est, dans la ville de La Sarre. J'ai pris cette décision au moment où l'UCC avait décidé de construire de petits bureaux pour loger les activités de leur *agent captif*. À leurs yeux, j'étais sorti du rang de leur discipline parce que plus de la moitié du chiffre d'affaires était placé dans d'autres compagnies que la leur. Ils étaient prêts à construire un bureau, mais d'après leur modèle. On en est venu à un compromis selon lequel je pourrais faire construire suivant les besoins de mon bureau d'assurances et ceux de mes locataires et qu'on me ferait un prêt hypothécaire de 50 000 $ sur un édifice qui en coûterait 85 000 $. Les plans furent dessinés par Marcel Monette qui ouvrait son bureau d'architecte à Val-d'Or, c'était le premier projet d'édifice commercial qu'il réalisait. Ce fut la firme St-Amant qui, avec la plus basse soumission, exécuta le contrat. Mais, au moment de passer l'acte d'hypothèque, l'UCC recule partiellement en réduisant son acceptation à 25 000 $ plutôt que les 50 000 $ promis verbalement. La raison était que la plus grande partie de l'immeuble serait louée à une petite compagnie de finance et qu'à Montréal une compagnie un peu plus petite que Continental venait de déclarer faillite.

J'ai donc essayé auprès d'autres compagnies d'assurances d'obtenir un prêt, mais l'investissement dans le Nord ne les intéressait pas. Aujourd'hui, pour un tel projet, au moins une dizaine d'institutions de la région solliciteraient un financement semblable. Donc, j'ai dû accepter le financement avec toutes ses exigences. Et, pour obtenir le reste, j'ai réussi à acquérir une deuxième hypothèque d'une entreprise de Rouyn-Noranda en donnant ma maison privée en sûreté supplémentaire.

Le 31 décembre 1960, l'immeuble était terminé et les trois locataires y avaient aménagé, soit : Corporation d'Escompte Continental, le bureau du Dr. Yves Balthazar et le bureau de H. Boissé Assurances ltée. Les problèmes connus dans le financement de la construction de cet immeuble ont été le prélude de ce que je connaîtrais en plus gros 25 ans plus tard. Deux ou trois ans après m'être bien installé dans cet immeuble, la loi sur l'assurance auto connut un premier changement. Un automobiliste, pour obtenir l'enregistrement de son véhicule, devait fournir la preuve qu'il détenait une assurance de responsabilité publique sur celui-ci. L'acheteur – dont l'achat doit être partiellement financé – devait rencontrer son assureur afin d'assurer entièrement son véhicule et désigner l'institution financière comme bénéficiaire en cas de pertes par feu, vol ou collision. Ce qui eut comme conséquence que les compagnies d'assurances qui couvraient ces risques pour les compagnies de finances n'eurent plus cette clientèle facile. Au moins deux compagnies, General Traders et Merritt Insurance, cessèrent leurs activités parce qu'avec cette nouvelle façon de faire, seuls les mauvais risques étaient dirigés vers ces entreprises qui avaient arrêté leurs opérations. Dans chacun des bureaux, on a connu les répercussions de cette nouvelle politique, sauf au bureau de La Sarre qui avait de plus vieilles assises. Dans les succursales, cette manne qui nous arrivait autrefois de Continental – parfois 5 000 $ de primes par mois dans certains bureaux – a cessé et les gérants ne réussirent pas à remplacer ce manque à gagner par d'autres affaires qu'ils tentaient d'obtenir ailleurs. Avant de prendre trop rapidement une décision, il se présenta une occasion qui aurait pu partiellement corriger la situation.

Le bureau d'assurances de Brind'Amour & Masson de Rouyn-Noranda, en affaires depuis une vingtaine d'années, était à vendre; l'actionnaire principal, Jean Brind'Amour, de passage à Rouyn-Noranda voulut me rencontrer. Sa clientèle m'intéressait parce qu'elle était répartie dans tout le territoire de l'Abitibi-Témiscamingue et pourrait être distribuée dans tous nos bureaux. Sauf qu'au Témiscamingue, il y avait un agent résidant, Martial Dupuis, que l'on pourrait engager à des conditions à peu près semblables à celles des autres gérants de succursales. Il y avait une certaine clientèle à Chapais et Chibougamau. Alors, avec Gérard Morin du bureau de Barraute, on s'est rendus à Chibougamau rencontrer l'agent d'assurances

Marcoux qui avait un petit chiffre d'affaires. On lui a laissé les dossiers des clients de ces villes avec l'entente que s'il réussissait à renouveler quelques contrats, il nous verserait une commission à la fin de l'année. On trouvait que la distance était trop grande pour offrir un bon service à la clientèle et qu'il serait plus rentable de se concentrer plus près de nos autres bureaux. Après cette transaction nous donnant un peu l'espoir de voir augmenter les ventes dans les succursales, force nous fut de constater qu'aucune correction positive ne s'était manifestée et qu'il fallait ne pas trop tarder à trouver une solution.

Alors, pendant la journée de la fête de la Pentecôte, j'ai pensé à vendre toutes les succursales à chacun des gérants de bureaux. Le lundi matin, je fis part de mon idée à ma secrétaire. Elle trouva l'idée positive. Puis, on s'occupa à autre chose. On fit un petit caucus avec le comptable Armand Larouche – qui avait en détail le volume d'affaires de chacun des bureaux – mon bras droit Émile Grondin, ainsi que l'autre associé, Claude Ouellet. On en vint rapidement à la conclusion, que dans les circonstances, c'était la meilleure solution pour corriger la situation. Après examen du dossier de chacune des succursales, on s'entendit sur un prix et sur les conditions de paiement étalées sur cinq ans pour l'achalandage, sans intérêts.

Pour ce qui est de l'ameublement de bureau et des voitures, on vendait au prix de la valeur dépréciée par un contrat de finance à taux préférentiel par Continental. Trois jours plus tard, chacun des gérants avait accepté ces conditions et c'est seulement avec le bureau de

Rouyn-Noranda qu'une complication de dernière minute s'est présentée. Quelques jours auparavant, Gaston Pratte et Aurèle Regaudie étaient d'accord pour se porter acquéreurs ensemble, mais le jour où ils devaient se rendre à La Sarre pour passer le contrat devant le notaire Lavigne, Aurèle appela tôt le matin pour me dire qu'il achetait seul. Ce fut une grande surprise pour moi, je lui dis que j'allais consulter et que je le rappellerai après. Marc Lavigne me conseilla d'accepter cette proposition au risque de m'exposer à ce que les deux me laissent tomber. Alors, je dus prendre la pénible initiative d'appeler Gaston Pratte pour lui apprendre que la vente se ferait à Aurèle Regaudie seulement. J'avais beaucoup de peine pour Gaston Pratte, je ne trouvais pas qu'il méritait de vivre une telle situation. Mais, lui connaissant de grandes qualités d'homme d'affaires, je savais qu'il se débrouillerait quand même. L'avenir m'a donné raison.

La page fut tournée, l'époque des succursales était terminée. L'histoire a bien tourné pour chacun des acheteurs, qui ont tous bien réussi dans la gérance et le développement de leur bureau. Quelques années plus tard et encore aujourd'hui, ils me considèrent comme leur père!

Étant plus disponible pour consacrer davantage de temps à l'exploitation du bureau de La Sarre, le chiffre d'affaires a augmenté pour démontrer qu'après deux ans, on écrivait autant d'affaires qu'à l'époque où on avait les quatre succursales. En 1973, alors que la vie se déroulait sans histoires, voilà qu'un des piliers des premières années du bureau de La Sarre, Émile Grondin, un vieil ami de la

JAC, décéda d'un problème de cœur à la suite d'une courte maladie. Son départ causa un vide au bureau.

En compensation, nous avons songé à nous associer avec Jean-Marc Lainesse qui avait pris la relève du bureau de son père décédé quelques années auparavant. Jean-Marc était très compétent, il avait acquis sa formation en travaillant pour une grande société d'assurances et avait rencontré sa femme dans un grand bureau de courtage de Québec. Mais après quelques rencontres, accompagnés de nos comptables respectifs, on a convenu de part et d'autre que cette association comportait trop de risques quant à sa réussite.

Plusieurs mois plus tard en 1976, un autre confrère, Richard Trépanier vint nous offrir son bureau d'assurances. Son entreprise était née au début des années 60 lors de notre divorce avec les assurances de l'UCC, qui maintenaient plus que jamais leur politique de traiter avec des *agents captifs* et exclusifs. Très bon assureur-vie ayant développé un chiffre d'affaires intéressant avec une autre société, Richard fut recruté par l'UCC. L'UCC a donc décidé d'investir beaucoup dans la région pour consolider sa position en recrutant un inspecteur pour assister les agents de la région. Pour ce travail, ils avaient choisi Marcel Carpentier, qui avait acquis à Montréal une bonne expérience à London Lancashire; c'était le fils du premier chef de police de La Sarre.

Il était l'homme tout désigné pour travailler en région. Richard a donc été gâté, l'UCC lui a bâti un bureau du même modèle que ceux qu'ils bâtissaient un peu partout en région et en province. Ce fut un succès pour lui. Mais arriva ce qui arrive souvent à qui le succès vient trop vite, il devint inapte à l'opération de son entreprise. Et puis, durant quelques années, l'UCC connut de mauvaises expériences en assurance-automobile, et leurs réserves fondirent comme neige au printemps. De ce fait, le surintendant des Assurances du Québec refusa le renouvellement du permis d'opérer si on ne recapitalisait pas. Après quelques mois d'échecs dans la tentative de recapitalisation, les actifs furent cédés aux Prévoyants du Canada et tous les cadres de l'UCC partirent avec eux. C'est alors que ces mêmes cadres, des amis lorsque j'étais avec eux, vinrent me voir en me suppliant de trouver une formule avec Richard Trépanier qui leur permettrait de conserver les affaires qu'ils avaient avec ce bureau. Je reçus ces amis poliment et pris leur proposition en délibéré.

Fernande Cousineau, la femme de Richard, nous invita Gilberte et moi à déjeuner avec eux à leur résidence. Au cours de la rencontre, on trouva une formule qui pourrait servir de base pour réaliser cette transaction.

On s'entendit pour que Richard cède son portefeuille d'assurances générales, qu'il conserve sa clientèle d'assurance-vie, et de plus, on lui cédait un local sans frais dans notre bureau, ce qui fit l'affaire de tout le monde. En même temps, dans le même immeuble, nous avons déménagé dans le local qui était jadis occupé par Continental, celle-ci ayant été vendue à Virginia Bank avait déménagée à Montréal.

Tout au cours de ces transactions, tant avec les Prévoyants du Canada qu'avec Richard, nous avions des échanges avec Antonin Jacob qui était inspecteur pour le groupe Commerce. Comme nous avions une bonne partie de nos affaires avec cette compagnie, nous le connaissions bien et on avait du plaisir à travailler ensemble. Le monde des assurances étant petit, comme inspecteur, il était un peu au courant de l'histoire et de ce qui se passait dans tous les bureaux d'assurances de la région. Donc, il connaissait la situation de Richard et se demandait toujours quand viendrait la minute de vérité.

Alors, voyant évoluer la situation au cours de l'année 1975, nous lui avons proposé de venir travailler avec nous si on faisait la transaction. La proposition lui plut et il commença le 1er janvier 1976, date d'entrée en vigueur de la transaction avec Richard Trépanier et les Prévoyants du Canada.

Heureusement, nous avions un responsable de la comptabilité qui était à la hauteur de la situation. Armand Larouche était avec nous depuis le début des années 60. Il a commencé à travailler à la comptabilité au moment où Émile Grondin préférait passer cette responsabilité à une autre personne pour se consacrer davantage aux dossiers d'assurances avec les clients. Dans notre recherche de la personne qualifiée pour cette tâche, Gilles Gauthier, gérant de Continental nous proposa le mari de sa soeur Rita, Armand, nous disant qu'il faisait privément la comptabilité pour quelques petites entreprises, qu'il aimait ce travail et que lui-même dans ses fonctions le consultait, et parfois c'était lui qui trouvait solution à son problème.

Toutefois, son gagne-pain n'avait aucun rapport avec les sciences comptables : il était responsable du service de la colle à l'usine de déroulage de J.H. Normick, propriété des frères Perron. On donna suite à la suggestion de Gilles, et Émile Grondin rencontra Armand un soir au bureau, et à trois ils examinèrent le travail à accomplir.

En fin de soirée, Armand était d'accord pour essayer. Il prit congé de son employeur pour tenter l'expérience, et le mois suivant, on était convaincus qu'il était l'homme de la situation. Ainsi, il participa à la croissance de l'entreprise. Lorsque le travail augmenta considérablement avec l'ouverture des succursales, nous avons tenté de trouver quelqu'un qui pourrait l'aider. Premier essai avec Lucien Cousineau qui a bien fait son possible, mais n'étant pas fait pour ce genre de travail, il s'est retrouvé à l'hôpital. Alors, grâce à mes contacts, il s'est replacé avec le Service social d'Abitibi-Ouest qui était en pleine expansion. Ensuite, nous avons proposé le poste à Gérard Beauchesne qui venait de perdre son emploi à la suite de l'incendie de la Coopérative fédérée qui opérait une beurrerie avec *grainerie* et *moulange,* mais lui non plus n'a pas su s'adapter à la comptabilité des assurances - il ne pouvait se débarrasser du complexe de la moulée, disait Armand.

D'un commun accord, on convint qu'il serait préférable d'essayer ensemble de lui trouver un autre emploi. Alors, j'appris qu'un de mes amis de l'époque où j'étais à la Caisse populaire de Ste-Germaine était devenu gérant de la Caisse populaire d'Amos et de la Coopérative agricole d'Amos, il cherchait un adjoint d'expérience dans le commerce des grains et moulées.

Je l'appelai donc et lui proposai de lui présenter Gérard qui était un ancien employé de la Fédérée à La Sarre. Quelques heures plus tard, nous étions réunis à Amos, au bureau de l'ami Leblanc qui l'engagea sur-le-champ. Emploi qu'il a occupé à Amos un certain temps avant d'être muté par la Fédérée à la Coopérative de St-Jean-Port-Joli où il a travaillé jusqu'à sa retraite.

Par la suite, les succursales étant vendues, Armand a assumé seul la responsabilité de la comptabilité avec l'aide d'une secrétaire du bureau. À la fin des années 70, avec les contacts et les relations développés au fil des ans, le chiffre d'affaires du bureau dépassait de beaucoup les deux millions. À tout moment, nous avions des surprises intéressantes. Un après-midi, deux amis de Val-d'Or connus par le biais de mes activités à la Chambre de Commerce arrivèrent. Ils venaient d'acheter cinq théâtres dans la région et voulaient me confier leurs assurances : « Fais-nous une soumission pour demain matin et appelle-nous ». Ce que je fis immédiatement. Les Prévoyants du Canada venaient de bâtir un programme spécial pour les théâtres. Le lendemain, les deux se présentèrent au bureau avec leur chèque pour cette prime qui dépassait les 5 000 $.

Un autre jour, ce fut mon ami Léo Vanasse qui vendit son entreprise à Pneus Abitibi et il proposa alors aux acheteurs de nous confier leur portefeuille d'assurances. Les dirigeants de cette compagnie comprenaient qu'il serait bénéfique pour eux de faire affaire avec notre firme d'assurance. J'explique pourquoi : Brazeau Transport était considéré à ce moment-là comme leur meilleur et principal client pour le transport de pneus – elle avait au-delà de 200 véhicules sur la route. En fait, cette compagnie de transport se trouvait à être la propriété exclusive de la Corporation de Gestion La Vérendrye, dont je faisais partie du conseil d'administration depuis sa fondation. À cet effet, Pneus Abitibi m'a alors confié la gestion de ses assurances et sincèrement, j'en étais très heureux!

Disons un mot de cette entreprise fondée par des gens de la région. Les principaux actionnaires furent les membres de l'exécutif de Continental, pour la bonne raison que cette entreprise, selon sa charte, ne pouvait faire de prêts hypothécaires. C'est pourquoi on décida de fonder une nouvelle entreprise avec un statut très élargi, comme le prêt hypothécaire, l'acquisition d'entreprises industrielles et commerciales. Quelques hommes d'affaires de la région avaient joint les rangs des fondateurs, pour en nommer quelques-uns : les frères Vanasse, Léo et René qui étaient dans le commerce du pneu, Aurèle Lamothe, propriétaire de la compagnie de construction Lamothe, Émile Brazeau, propriétaire de la compagnie de transport de son nom, Marcel Baril, grossiste en matériaux de construction, l'avocat Marcel Cinq-Mars, associé de Normand Grimard et le comptable Alex Leclerc, maire de Rouyn-Noranda. Belle brochette de leaders et développeurs régionaux!

Mon implication dans de nombreux organismes et entreprises était rendue possible grâce à l'équipe qui m'entourait au bureau. Je veux mentionner le dévouement et la générosité de deux courtiers qui étaient encore au poste lorsque j'ai pris ma retraite du monde de l'assurance, Claude Ouellet et François Larouche. Claude avait développé un bureau d'assurances à Macamic, nous le connaissions comme un travailleur et homme responsable. Alors, au début de notre période d'expansion, on lui proposa de se joindre à notre équipe pour participer à notre développement qui ne pouvait se faire qu'avec une équipe d'experts soucieux de donner l'image d'un bureau de vrais professionnels de l'assurance. En 1962, Claude accepta de s'associer à nous, c'est une époque où un bon pourcentage des affaires se négociaient au domicile de l'assuré, alors qu'aujourd'hui, les clients se rendent au bureau pour leurs affaires d'assurances, comme pour voir un médecin ou un autre professionnel. Claude a suivi les cours essentiels pour obtenir son titre de courtier d'assurances. Il a participé dans la mesure du possible aux colloques d'assurances en province et en région pour parfaire sa formation. Assez tôt, il a acquis la compétence nécessaire pour aborder n'importe quel dossier sans crainte.

L'arrivée de François Larouche, qui est encore à mon ancien bureau, s'est passée différemment. Un de ces printemps, tandis que nous cherchions sans précipitation une secrétaire additionnelle, son oncle, Armand Larouche, proposa d'engager quelqu'un sur lequel on pourrait investir pour la relève, sans suggérer personne en particulier. Alors qu'on ne semblait trouver personne, Armand rencontra son frère Conrad. Le fils de ce dernier, François, terminait son secondaire fin juin, il serait peut-être intéressant de lui présenter le poste. Le lundi 28 juin 1965, François entra au bureau où il est toujours en poste.

On ne se trompe pas avec les Larouche, ils ont la réputation d'être de fidèles, responsables et honnêtes serviteurs. On n'a qu'à penser à Armand qui a été au bureau comme comptable jusqu'à sa retraite. Un de ses frères, Georges, était le bras droit de John Murdoch du Lac-Saint-Jean qui avait monté tout un empire dans le domaine de l'exploitation forestière. Conrad a passé sa vie au ministère de la Colonisation pour terminer chef du bureau régional du ministère de l'Agriculture; les deux ministères avaient fusionné à l'époque d'Alcide Courcy comme ministre de l'Agriculture.

Avec la description des personnes compétentes qui formaient mon entourage, on peut réaliser que je pouvais consacrer du temps aux deux compagnies dont j'étais actionnaire et qui rapportaient au bureau chacune au-delà de 100 000 $ de primes annuellement. De fait, la plus haute prime facturée à ce jour dans ce bureau fut 200 000 $ pour un bon d'exécution de contrat émis à Brazeau Transport pour le transport du carburant de Matagami à LG 2. C'était une compensation inespérée qui permettait de faire oublier mes nombreuses absences du bureau afin d'assister aux réunions du conseil d'administration, et aussi pour la gestion de portefeuilles des filiales de La Vérendrye comme Temisko Trailer et Québec Aviation.

Professionnellement, c'était valorisant pour moi d'avoir à m'occuper de couvrir Continental et sa demi-douzaine

Photo prise en compagnie de deux « séniors » de l'assurance, Jean-Marie Poitras et Maurice Lesage.

L'équipe de H. Boissé Assurances ltée, de gauche à droite, Armand Larouche, Hilaire Boissé, François Larouche, Claude Ouellet et Émile Grondin.

de succursales avec une grande diversité de contrats d'assurance. Ceux-ci donnaient le choix à plusieurs points assurables très intéressants tels que : l'assurance incendie, responsabilité, fidélité des employés, ainsi que l'assurance-groupe, vie, maladie et accidents. On pouvait également assurer la vie des emprunteurs de même qu'une garantie accident-maladie pour ces derniers. Et parfois, il arrivait de faire une assurance tous risques sur les parcs d'automobiles des vendeurs d'autos. On pourrait dire, à la lecture de cette histoire qui est à mon avis un succès sur le plan professionnel : « Que peut-on demander de plus » ?

Le rêve qui fait déraper

Début janvier 1972, Gilberte et moi revenions de passer quelques jours avec notre fille Hélène qui était dans un échange d'étudiants à travers le programme du Rotary International. Elle séjournait pour 10 mois à Baker en Oregon (É.-U.), côte ouest du Pacifique. On voyageait de Montréal à Vancouver en avion, et de cette ville, nous louions une voiture qui nous permettait de voir les beaux paysages de la côte du Pacifique, de Vancouver à San Francisco. Nous prenions Hélène à Portland où elle a passé les fêtes chez les parents de la jeune étudiante que nous avions en échange au club Rotary de La Sarre. David Leschana, pasteur de la communauté religieuse Quaker, nous accueillit chaleureusement. Il nous fit visiter l'université de cette congrégation dont il était le recteur.

On fut reçus par le club, un des membres était propriétaire d'un petit avion, et nous fit survoler la région : les pentes de ski, les ranchs d'élevage et les scieries. Hélène nous accompagnait tout au cours de cette randonnée à l'intérieur des terres. Nous visitâmes Reno avec ses casinos, et Boise où nous arrêtâmes pour une nuit. En soirée, nous avons même rencontré un cousin, Georges Boissé, qui travaillait dans une banque de cette ville! C'était le 12 janvier et je célébrais mes 50 ans. Nous avons laissé notre Hélène dans sa famille adoptive pour la fin de son année scolaire, et sommes retournés vers la côte ouest en longeant l'est des montagnes.

On est remonté vers Vancouver en admirant les splendides paysages, les belles fermes et les beaux parcs boisés d'une forêt vierge. On a passé une nuit dans un hôtel près de la gare, et le lendemain, nous avons pris le train pour Montréal. Le froid ralentissait le trafic ferroviaire et par conséquent, nous avons passé trois jours en train, ce qui nous permit de contempler les plaines de l'ouest et les exploitations d'élevage.

Rêveurs que nous étions, on se demandait s'il ne serait pas trop tard pour réaliser nos plus grands désirs, soit un retour partiel à la terre tout en conservant nos intérêts dans les assurances. Quelques semaines après notre retour à La Sarre, j'en parlai à des amis, question de me trouver de l'information, sinon des associés. L'agronome Perras du ministère de l'Agriculture m'informa que l'Office du crédit agricole du Québec venait de reprendre à Clerval une grande ferme avec une grange neuve qui n'avait pas moins de 100 pieds de long, et que ça pourrait être une occasion de démarrer un parc d'engraissement. Je visitai l'installation avec des amis cultivateurs dans le but de les intéresser au projet. Nous visitâmes aussi des fermes d'élevage dans le nord de l'Ontario pour recueillir des idées. Mais, au bout de quelques mois, le ministère décida de garder ces fermes pour en faire un pâturage communautaire au service des fermiers du coin. De plus, ils avaient l'intention de transporter la grange-étable sur les terrains de ministère de la Colonisation dans la ville de La Sarre pour en faire une salle d'encan, facilitant ainsi la vente des animaux de boucherie produits en région.

On oublia donc ce projet, tout en songeant à d'autres activités qui généreraient des fonds sans toucher à mon gagne-pain, le bureau d'assurances.

Quelques années auparavant, je m'étais laissé entraîner par des amis à des aventures dans une tentative d'implantation d'entreprises opérant sur la formule de franchise. J'avais eu la piqûre lors de vacances en Floride et je suis revenu impressionné par la multitude de commerces franchisés. À mon retour de ce voyage, un ami de Beaudry ayant laissé les assurances pour un bureau de courtier en valeurs mobilières, s'était trouvé, selon lui, un associé très brillant qui mettait en place, sur une base de franchise, une entreprise de salons de beauté. Cette compagnie importait des cosmétiques d'Allemagne et avait l'exclusivité pour toute l'Amérique du Nord. C'était prometteur, il avait recruté quelques investisseurs, choisis surtout parmi les promoteurs miniers de la région ainsi qu'un associé d'Ottawa qui avait le plus investi à ce moment dans l'entreprise[1]. L'homme en question, sans le nommer, avait été journaliste au journal *Le Droit* d'Ottawa tout en étant membre du conseil d'administration. Je l'avais connu à l'OJC, association nationaliste que je décrirai plus loin. Il était plus âgé que moi d'au moins une vingtaine d'années. À l'époque, je débutais en assurances à Ste-Germaine. Il m'avait rendu visite avec Damas Bérubé, agent d'assurance-vie de la compagnie d'assurances La Laurentienne, alors que son patron était justement cet homme qui m'impressionnait beaucoup - il était directeur des agences pour le Québec et l'Ontario. Je me souviens que lors de cette visite d'environ une demi-heure à notre domicile, il nous avait dit que nous ne serions pas longtemps dans ce village, prophétie qui se réalisa quelques années plus tard. Alors, le promoteur de ce projet qui était déjà en application au Palais du Commerce m'appela de Montréal quelques jours plus tard pour avoir mes impressions et me proposer une mise de fonds de 5 000 $ en me faisant miroiter les éventuels succès des franchises.

Je lui envoyai cinq chèques postdatés sur une période de six mois. Un mois plus tard, on m'appela pour m'informer que si je ne voulais pas perdre mes 5 000 $, il

---

1. Je me suis laissé impressionner par le montant d'actions que notre ami d'Ottawa avait dans la compagnie, ce qui représentait une trentaine de mille dollars. J'ai appris, après m'être retiré de la compagnie, que le courtier promoteur de la compagnie avait au cours des années passées emprunté cette somme et au lieu de la considérer comme perdue, avait accepté de se voir émettre des actions de cette compagnie. Avoir connu cette version auparavant, je n'aurais pas investi.

fallait que j'en remette encore autant. Dans les jours qui suivirent, on nous invita à une rencontre des investisseurs pour former le bureau de direction de cette nouvelle compagnie. Quelle surprise de constater qu'autour de cette table d'actionnaires qui avaient été recrutés de la même manière que moi, pas un ne connaissait le domaine des cosmétiques, et encore moins celui du maquillage! Le gérant général, type par excellence de vendeur à pression, poussait ses idées au promoteur. À ce moment même, il manquait encore de l'argent pour continuer le développement. Un des actionnaires, familiarisé avec la bourse, proposa que l'on structure la compagnie avec l'aide du comptable des deux actionnaires engagés dans la promotion minière, tous deux présidents de leur propre compagnie – déjà cotée en bourse. Vint le temps d'élire le président de cette nouvelle compagnie qui devait s'appeler Visa Bella. Personne ne voulut prendre la présidence, parce que leur dossier n'était pas vierge à la Commission des valeurs mobilières du Québec. Le dossier pour l'émission des actions se monta assez rapidement pour aller chercher dans le public un million et demi de dollars. Le comptable était très compétent pour monter bilans et budgets *pro forma* afin de trouver un courtier souhaitant faire la distribution. J'ai donc été contraint de prendre la présidence, malgré moi, pour sauver mon investissement. Je n'ai jamais beaucoup de prise pour ralentir les élans du directeur général. Toute l'opération était dirigée par le courtier qui nous avait invités à plonger dans cette aventure. Lorsque l'émission a été vendue, chacun des administrateurs qui avaient avancé 35 000 $ par billets escomptés à la banque a été remboursé, mais toutes nos actions ont été placées sous écrou. On ne pouvait pas en vendre. Je les ai encore.

Aussitôt après la remise du chèque par le courtier, sans le dire à personne, le directeur général, avec les directrices des cinq salons en activité partit pour 15 jours en Allemagne. À son retour, on le congédia et on trouva un autre candidat d'une certaine compétence pour le remplacer. Le directeur général aussi se laissait manipuler par le courtier promoteur, de telle sorte qu'une partie de l'argent non dépensé, qui était le fruit de l'émission d'actions, était placé à la banque qui avait avancé les fonds de démarrage avec l'endossement des administrateurs. Ce courtier vint à bout de convaincre le nouveau gérant de placer, sans consulter le conseil d'administration, 300 000 $ chez un notaire qui avait une compagnie de prêts hypothécaires. La transaction faite, le comptable examina des papiers donnés en garantie et découvrit qu'il s'agissait de deuxième et de troisième hypothèques, et presque toutes en défaut de paiement. La commission des valeurs mobilières fut informée de la situation et suspendit les transactions en bourse.

Ce fut le commencement de la fin. Le reste du capital a fondu pour éponger les déficits répétés mensuellement. Avec le comptable, on a tenté de vendre la compagnie et dans un effort de fusion avec une compagnie américaine, le conseil d'administration a été battu par un vote de l'assemblée d'actionnaires. J'ai démissionné sur-le-champ. Le courtier et ses amis contrôlaient le vote.

Dans les derniers mois consacrés à mettre à flot cette entreprise, j'ai connu un autre groupe qui avait comme comptable M. St-Denis qui s'était occupé avec succès de monter le dossier de Visa Bella. Dans ce groupe, on retrouvait les frères Joubert qui étaient dans la fourrure, M. Brosseau, ingénieur avec les deux frères Dubois qui avaient quelques années auparavant monté la compagnie Drummond Welding et avaient touché chacun un million en la revendant à une autre entreprise de soudure. Ils avaient démarré une autre usine du nom de Formex. Le courtier promoteur de Visa Bella et le comptable proposèrent de mettre cette compagnie en bourse; voyant nos insuccès dans Visa Bella, on pourrait ainsi reprendre nos pertes. Alors, avec emprunt, j'investis dans cette nouvelle aventure. Au fil du montage du dossier, le comptable décida d'acheter avec le produit de l'émission une exploitation similaire dans le Parc industriel de Boucherville qui était dans la fabrication de réservoirs et autres pièces en structure de métal. Les états financiers n'étaient pas clairs et la transaction retardait de mois en mois pour finalement se solder par une faillite. Ce fut donc une autre perte additionnée à la première. C'est un 100 000 $ de perte qui est passé dans ces deux aventures.

Tout cela ne m'enlevait pas mon rêve d'aller vers l'agriculture, mais ça le retardait. Lors de vacances des fêtes en Floride, je rencontrai un ami assureur-vie, dont je tais volontairement le nom, et je réalisai que sans presque rien investir, une nouvelle maison de courtage à Montréal lui avait fait faire des gains considérables. Alors, je me suis dit que c'était peut-être de cette manière que je pourrais faire les gains nécessaires pour concrétiser mes rêves en agriculture.

Je n'avais plus aucune dette et possédais quelques milliers de dollars en certificats de placements. Au retour, l'ami de Val-d'Or m'organisa une rencontre avec un Canadien français de ladite maison de courtage. Chic gars, mais curieusement entouré sur le parquet des vendeurs par des gens de différentes nationalités. J'étais un peu soupçonneux, mais je m'engageais quand même en pensant que je pourrais risquer 10 000 $. Au bout de deux semaines, il m'avait acheté des actions pour une valeur de 20 000 $ et réclamé à la banque le paiement par traite. On se parlait souvent au téléphone, question de se renseigner sur la possibilité de *plus-value* de ces actions qui étaient stagnantes et plutôt à la baisse. Quelques mois plus tard, la Commission des valeurs mobilières ferma le bureau du courtier. L'ami de Val-d'Or me consola en disant que c'était temporaire, que le bureau allait se restructurer et rouvrir. Le courtier francophone finit par changer de bureau et essaya de réaliser un profit qui n'est jamais venu. Au bout d'un an, le directeur de banque m'avisa que les valeurs qu'il avait en main étaient très loin de couvrir les avances que la banque m'avait faites.

Alors que faire? Je parlai de mes déboires financiers à des amis. J'aurais mieux aimé raconter un success-story, mais que voulez-vous, j'étais à ma minute de vérité! Plusieurs me proposaient de tenter ma chance dans l'immobilier. On me donnait l'exemple de quelques cas où une personne achetait un immeuble qui avait besoin de réparation et après l'avoir retapé le revendait en doublant sa mise de fonds. Par hasard, je rencontrai mon frère Paul-Émile demeurant à Longueuil, qui avait quatre ou cinq édifices à logements. On discuta et il me dit qu'il aurait un projet à me proposer qui ferait l'affaire des deux. À St-Lambert, il avait fait des travaux de début de construction pour un développeur qui avait acheté un terrain, et il était à la recherche de financement. Ses plans étaient faits pour un immeuble de 42 logements, un financement était accepté, mais entre-temps il avait divorcé d'avec son épouse et la compagnie retirait son offre de financement. Pendant ce temps, mon frère Paul avait fait l'excavation et coulé les fondations à ses frais. Il me proposa d'acheter le terrain du propriétaire et qu'ensemble on pourrait continuer la construction à condition que je lui paie 17 000 $ couvrant le coût des travaux déjà exécutés. On s'accorda pour réaliser ce projet, qui à son avis ne devrait pas dépasser 600 000 $ et dont la valeur à la vente au prix actuel du marché serait d'un million. Paul mit en garantie une deuxième hypothèque sur deux de ses immeubles et nous obtînmes 90 000 $ pour l'achat du terrain. On se mit à la recherche d'un financement. La Caisse de dépôt et de placement nous demandait un dépôt de 11 000 $ pour étudier notre dossier. On nous donna une réponse positive, mais il y avait un hic, le débours se ferait lorsque la construction de l'immeuble serait terminée et qu'il serait loué à 85 %. Je ne pouvais pas accepter ces conditions, parce que la banque ne pouvait financer de projets de construction.

Alors, Paul-Émile, qui avait déjà une hypothèque sur un de ses édifices avec le Crédit foncier, proposa de s'adresser à eux pour solliciter un financement. On fut bien accueillis et on accepta de faire le financement avec débours sur une base de l'avancement des travaux.

Les travaux débutèrent par la pose de dalles de béton préfabriquées. Les maçons étaient à l'œuvre et tout allait rondement jusqu'à la déclaration de la grève de la construction. On sollicita le prêteur de nous faire une avance, il refusa de le faire tant que la grève ne serait pas terminée. Plusieurs semaines plus tard, la grève se termina, mais ce fut ensuite celle des plombiers qui commença, pour se poursuivre avec celle des électriciens... La banque ne voulait plus me faire d'avances, les fournisseurs s'inquiétèrent et quelques-uns s'impatientèrent au point d'enregistrer un privilège pour garantir leur créance. Le prêteur nous suggéra de faire enlever les privilèges afin de nous faire une avance. J'obtins un emprunt de 50 000 $ d'un ami sur simple signature d'un billet. On remet le dossier en ordre avec les fournisseurs, et le prêteur nous avança à peine 100 000 $ sur les 300 000 $ déjà dépensés.

Ce n'est qu'au printemps 76 qu'on put poursuivre la construction. Entre-temps, on se faisait voler des fenêtres, des baignoires, des toilettes et des lavabos! Le prêteur était toujours très réticent à faire des avances, qui venaient au compte-gouttes. Un ami d'une compagnie d'assurances à qui je confiais mon problème me dit : « Viens dîner avec moi, je t'aiderai à trouver une solution ». Il exigea un dépôt de 8 000 $ pour monter mon dossier, et me promit une hypothèque avec laquelle je rembourserais le Crédit foncier et j'aurais les fonds pour terminer la construction de l'immeuble. Au bout de quelques semaines, je reçus l'offre écrite de la compagnie m'informant qu'aucun versement ne serait fait avant que la construction ne soit terminée et les logements remplis à 85 %. Donc, je n'étais pas plus avancé et je perdis encore une fois mon dépôt. L'ami communiqua avec moi et me proposa de faire une démarche auprès de la haute direction de la banque pour obtenir une garantie de deuxième hypothèque sur l'immeuble afin d'augmenter ma marge de crédit de ce montant. Il réussit et entreprit immédiatement les démarches auprès de la compagnie d'assurances de qui on ne pouvait prendre l'hypothèque sur l'immeuble. Finalement, il conclut cette affaire en donnant un pourboire à un personnage de la haute direction de la banque qui avait pris la bonne décision pour augmenter la marge de crédit. Quelle ne fut pas la surprise de mon gérant de banque de La Sarre, d'apprendre qu'une telle décision avait été prise sans qu'il la sollicite! Le Crédit foncier fut mis au courant de cette initiative et eut peur de perdre son hypothèque. Ils m'appellent un bon matin et me demandent : « Que faites-vous, vous ne venez pas réclamer vos avances? » Un petit déblocage qui nous permit de faire avancer la peinture, la pose du tapis ainsi que l'installation d'ameublements fixes.

Rendu en août, même si quelques appartements n'étaient pas terminés, la location commença, l'ascenseur fut installé, mais comme le fournisseur n'était pas totalement payé, il le laissa inopérant. Mais là, c'est vrai que toutes mes sources d'emprunt étaient épuisées, quoique le Crédit foncier me retint encore une grasse somme d'argent, mais le responsable des avances ne démordait pas, il ferait le déboursé final au moment de la livraison de l'édifice à l'acheteur, ce dernier attendant avec impatience la fin des travaux.

Alors, mon agent d'immeuble – qui suivait l'évolution de près – m'appela et me demanda de me rendre à Montréal afin de voir moi-même à l'exécution des travaux à terminer, qu'il estimait à environ 40 000 $. Je discutai de cette proposition avec mon ami Ange-Albert St-Amant, qui avait une compagnie de construction; il me dit que ça serait trop compliqué pour lui d'envoyer ses hommes dans une aventure semblable, il me suggéra de faire un emprunt à la Caisse d'entraide de La Sarre en donnant mes actions du bureau d'assurances en garantie. J'acceptai cette proposition et je partis pour St-Lambert et Longueuil (où mon frère demeure) avec objectif d'en finir avant de retourner à La Sarre – ce que j'ai fait.

Mon frère Paul m'a trouvé des peintres et des menuisiers qui venaient travailler le samedi et les soirs, ils ont donné un bon rendement, mais il fallait avoir des billets verts en poche pour les payer à la fin de la journée afin de les revoir le lendemain soir. Le jour, avec le concierge-locataire et sa femme, on s'occupait de préparer les logements pour que tout soit fini et propre à la perfection. L'ascenseur a été remis en marche, avec des billets verts… La dernière chose qu'on aurait pensé se faire voler, ce fut une partie du gazon autour de l'immeuble – il avait été déroulé dans la nuit. En compensation, un de ces matins, comme par hasard, on retrouve au grand garage souterrain de l'immeuble, les quelques fenêtres qu'on nous avait volées au début de la construction.

Lorsque tous les travaux furent terminés, je fis venir l'inspecteur du Crédit foncier pour qu'il fasse son inspection finale. Ensemble, nous avons visité coins et recoins de l'immeuble et sur la toiture, nous avons constaté qu'il manquait deux chapeaux de cheminée, qui avaient disparu dans le cours de la nuit.

La location était difficile, nous étions dans un quartier anglophone. C'était en 1978, une loi venait d'être passée par le nouveau gouvernement dirigé par René Lévesque, les Anglais avaient peur et ils déménageaient dans d'autres provinces. Les acheteurs étaient un peu craintifs et proposaient que le vendeur supporte le manque à gagner pour 85 % des logements pour les six premiers mois suivant l'acte de vente.

Le 31 août 1978, la construction étant terminée, je retournai à La Sarre, content que la mission soit accomplie. En mon absence, le gérant de ma banque, qui avait tellement peur de ne pas être remboursé, décida de mettre en vente 10 000 de mes 15 000 actions qu'il détenait en garantie sur emprunt. Il avait un acheteur à 9 $ l'unité. À ce moment, il y avait beaucoup de transactions sur les actions de La Vérendrye, parce qu'il y avait une rumeur de prise de contrôle. J'essayai de le convaincre d'attendre car à mon avis, la spéculation ne faisait que commencer. Il me répondit qu'il avait ses acheteurs et qu'il vaudrait mieux procéder au plus vite. Alors, vu son insistance, je consentis et j'endossai les certificats pour bâcler la transaction.

Il faut dire que ce gérant avait très peur que la banque perde avec moi. Tellement qu'un jour où on fut porteurs aux funérailles d'un confrère *Rotarien*, Gaston Matte, au sortir de l'église, on vit que mon compte était une obsession pour lui. Il me dit en montant en voiture : « Hilaire, si la banque ne perd pas d'argent avec toi, je me mets à pratiquer ma religion ». Il ne savait pas à quoi il s'engageait, parce qu'en 1984 lorsque l'acheteur de l'immeuble a fait un refinancement de sa dette et payé la deuxième hypothèque, la banque a été complètement remboursée. Alors, j'ai avisé ce gérant, qui avait été promu à Amos, qu'il commencerait à recevoir l'édition mensuelle du *Prions en Église* pour lui faciliter la reprise de la pratique religieuse.

Au retour, une autre situation pénible à vivre m'attendait au bureau. En mon absence, mes confrères de bureau prirent panique; la rumeur courait en ville qu'Hilaire allait faire faillite. Je comprenais leur réaction car à ce moment-là, mes actions étaient entre les mains de la Caisse d'entraide et je savais que cette dernière ne me donnerait aucune prolongation pour le remboursement de mon emprunt s'il arrivait quoi que ce soit. Sans compter qu'ils pourraient vendre mes actions de contrôle de H. Boissé Ass. Ltée à n'importe qui! La situation restait précaire pour eux. Nous risquions de tout perdre... notre bureau et nos emplois étaient en danger. Ce fut un choc. J'ai essayé de les convaincre que mes problèmes étaient pratiquement réglés, que dans les semaines à venir on passerait le contrat avec l'acheteur de l'immeuble et que cette pression disparaîtrait. Rien à faire, j'avais fait des promesses semblables depuis deux ans et maintenant il était trop tard. Il fallait passer à une autre solution, celle qu'ils avaient concoctée en mon absence. D'autres de mes amis qui étaient au courant de l'impasse dans laquelle je me trouvais avaient été informés de la manigance préparée en mon absence, ils me rencontrèrent et offrirent de payer la Caisse d'entraide, et proposèrent de garder mes actions en attendant. Au cours d'un petit dîner avec les collègues actionnaires du bureau à l'Hôtel La Sarre, on me soumis la proposition de payer mon emprunt de 40 000 $, d'effacer l'avance de 50 000 $ que le bureau m'avait faite (et que je remboursais en ne prenant pas ma paie hebdomadaire) et de leur remettre mes actions. J'avais 24 heures pour me décider.

J'étais devant une alternative. Je réfléchis et discutai de la situation avec Gilberte. Nous convînmes que si les amis me passaient les fonds garantis par mes actions, la confiance ne serait pas rétablie avec mes associés. J'acceptai donc *in extremis* parce que j'étais trop fatigué des trois semaines passées à finir l'immeuble. Je n'avais plus d'inspiration pour régler les choses autrement. Mes amis étaient très déçus que j'aie refusé leur aide. Mais, pour moi, ça ne réglait pas la situation. Ainsi, je consentis à leur proposition de devenir l'employé de l'entreprise que j'avais montée.

Intérieurement, je me disais, moi qui demande constamment l'humilité dans mes prières, je reçois l'humiliation. Je me reportais à une écriture biblique qui citait le cas d'un malheureux qui disait : « Ils m'ont enlevé tous mes biens et éventré ma tente ». Aussi à une citation de Job : « Le Seigneur m'avait tout donné, il m'a tout enlevé. Que son Saint Nom soit béni! » Il m'a donné du bonheur, pourquoi n'accepterais-je pas le malheur qui me frappait? Je n'en voulais pas à mes associés pour leur conduite envers moi. Je me reportais encore une fois à une parole des Écritures : « N'exaspérez pas vos enfants ». Alors que dans la poursuite de mon aventure je les avais exaspérés, j'avais dépassé leur seuil de tolérance à mon égard.

Pour ce qui est de la conclusion finale de la vente de l'immeuble qui aurait pu être faite début septembre 78, on a traîné jusqu'à la mi-janvier 79. J'ai su deux ans plus tard la cause de toutes les conneries que j'ai subies de la part du Crédit foncier. À un dîner du club Rotary de Montréal où chaque visiteur était prié de s'identifier, une personne dans l'assistance demanda à me rencontrer après le repas et s'informa de ce que j'avais fait avec mon édifice de St-Lambert. Je lui demandai pourquoi il me posait cette question. Il me répondit qu'il était au courant que la personne du Crédit foncier préposée aux versements du prêt selon la progression des travaux était organisée pour me placer en état de faillite. Il ajouta que la bâtisse aurait pu être acquise du syndic s'il y avait eu faillite, et ce, pour environ 350 000 $ afin d'enlever les deux hypothèques. C'était un beau profit pour cette petite gang d'escrocs, parce que la vente avait été faite à un million. Cette information venait confirmer mes doutes sur la sincérité des gens avec qui je traitais, surtout l'inspecteur qui venait vérifier l'avancement des travaux.

Pour résumer l'aventure, cet immeuble qui devait coûter au maximum 600 000 $, a coûté un million quatre cent mille. Alors, je n'ai pas déclaré faillite, mais j'ai dû régler ma succession de mon vivant. Tout y est passé : maison, actions d'entreprises encore listées à la bourse et valeur de rachat de polices d'assurance-vie. Mes anciens associés, qui sont devenus mes patrons, restèrent polis et respectueux envers moi et me proposèrent d'ouvrir une succursale du bureau à Matagami. Vivre mes cinq dernières années de carrière dans cette ville demeure le plus beau cadeau qu'ils m'ont fait. La proposition était assortie de conditions intéressantes : on me verserait le même salaire qu'auparavant et j'aurais les mêmes avantages sociaux : automobile fournie, dépenses incluses et Gilberte toucherait également un salaire à titre de secrétaire lorsque nécessaire.

Je n'ai pas eu la moindre hésitation à accepter cette offre. Nous étions sollicités depuis deux ans pour ouvrir une succursale dans cette ville en pleine expansion avec ses 6 000 habitants, dont bon nombre étaient mobilisés par les grands travaux hydroélectriques en cours à la Baie-James. À l'époque, je siégeais avec Don Murphy, directeur général de la municipalité de la Baie-James, à l'exécutif du CRDAT et me rappelais qu'avec les 20 personnes que nous avions dans le bureau de La Sarre, on devait ouvrir un point de service à Matagami parce qu'il n'y avait personne pour donner ce service.

En réalité, cette proposition arrivait à point pour la bonne gestion du bureau de La Sarre, car nous traversions une période de baisse de revenus de 30 %. C'était l'entrée en vigueur du régime de *no-fault* couvert par le gouvernement du Québec. Tous les bureaux de courtiers étaient frappés négativement sur le plan financier, sans compensation. On ne pouvait pas diminuer le salaire de la secrétaire qui ferait une facture de 140 $ plutôt que de 200 $ auparavant. C'est pourquoi il était dans l'ordre des choses de trouver d'autres sources de revenus.

Le 1er avril 1979, nous avions déménagé à Matagami et avions apporté du bureau de La Sarre une centaine de dossiers de clients que nous servions par téléphone et correspondance. C'était en partie des gens de Normétal qui, lorsque la mine a cessé ses opérations, ont déménagé pour travailler dans les mines de Matagami et de Joutel. Ce sont ces clients qui ont fait la publicité de l'ouverture de notre bureau dans la ville de Matagami. Comme il y avait beaucoup de nouveaux arrivants en ville depuis deux ou trois ans, ces gens étaient assurés partout dans les bureaux de courtiers de la province. Parfois, quelques-uns étaient impliqués dans des accidents et venaient demander assistance pour leur réclamation, et avec mes 30 ans d'expérience, il n'y avait pas beaucoup de situations que je jugeais problématiques! Ainsi, lorsque les réclamations étaient résolues aisément, on m'offrait une compensation financière, ce que je refusais disant qu'il était de mon devoir de faire profiter la population des connaissances acquises au cours de ma vie. En effet, j'ai eu beaucoup de bonheur à travailler avec ces gens et à pouvoir jouir de mes années d'expérience dans l'exercice de ma profession. Je réfléchissais souvent aux premières années en région où j'étais inexpérimenté et sans ressources pour augmenter mes connaissances. Je me disais, en comparant les deux situations, si les gens avaient su que je ne connaissais à peu près rien en assurances les trois premières années d'apprentissage... Il n'y a rien de plus valorisant que de partager son savoir et son expérience de la vie.

Bien sûr, pour n'être pas considérés comme des

étrangers, on refusait à peu près aucune invitation concernant la vie communautaire qui était animée par différentes entités, soit : le groupe forestier autour de la scierie Bisson & Bisson et son président Hypolite Ayotte, le groupe minier impliqué dans la communauté par différents comités d'accueil, le journal communautaire sur le câble et l'association des mines et métaux. Ces groupes étaient en rivalité avec les nouveaux venus d'Hydro-Québec, la Société de développement de la Baie-James ainsi que la municipalité de la Baie-James, dont les activités reposaient sur quelques piliers comme Donald Murphy, Réal Bordeleau, Gérard Paradis, Claude Hubert et plus tard, Louis-Paul Dionne, courtier d'assurances retraité.

Les retombées de ces engagements n'ont pas tardé à se refléter sur les activités du bureau. J'ai vu ce que je n'avais jamais vu en 30 ans de carrière d'assureur. Ouvrir 12 nouveaux dossiers dans une journée, je considère que c'est un exploit qui ne doit pas se produire bien souvent dans les bureaux d'assurances des villes de 6 000 habitants. Le comptable du bureau de La Sarre, Armand Larouche, nous déclarait un peu plus tard qu'il y avait certaines semaines, au moment de l'ouverture, où le bureau de Matagami ouvrait davantage de nouveaux dossiers que celui de La Sarre. Tout ça pour dire qu'il était impossible de s'ennuyer dans ce nouveau milieu !

Peu de mois après notre arrivée, nous avons dû changer nos heures d'ouverture. Lorsqu'on avait décidé d'ouvrir à Matagami, nous avions convenu d'être présents trois jours par semaine, soit les mardis, mercredis et jeudis, tandis que les lundis et vendredis pourraient être suffisants pour faire le suivi de certains de mes dossiers de La Sarre. Alors, devant cette pression, nous avons décidé d'opérer sur une base permanente et habituelle, soit 5 jours par semaine, afin d'être entièrement disponibles à la population de cette nouvelle ville qui nous adoptait.

Un vendredi soir, l'avant-veille de la Pentecôte, nous arrivions à la maison de Gallichan quand Gilberte me dit : « Maintenant, je peux te dire que j'aime assez Matagami pour y demeurer en permanence, alors si on trouve un acheteur pour la maison, je suis prête à la vendre pour qu'on s'installe définitivement à Matagami ».

Le lendemain, nous étions presque exaucés. Philippe Lavaysse, propriétaire de la ferme où était la maison, se présenta pour faire une offre qu'on ne pouvait accepter sur-le-champ : elle ne couvrait pas l'hypothèque que mon ami avait sur cette bâtisse, en garantie des fonds qu'il m'avait avancés pour la construction de l'immeuble de St-Lambert. Je lui demandai de revenir le lendemain, ce qu'il fit. On s'est entendus sur le prix, de sorte que le lundi matin, on est passés chez le notaire pour officialiser la transaction. Pour l'acheteur, cette maison avait une valeur sentimentale : en tant que Français, il avait enfin sa cabane de bois rond au Canada! Dans le contrat de vente, il nous permettait de l'occuper occasionnellement, les fins de semaines, pour deux ans. Philippe et sa femme Françoise viennent y séjourner quelques jours chaque année, accompagnés parfois de leurs amis ou associés en entreprise agricole.

Je suis donc devenu citoyen de Matagami à plein temps

sans être propriétaire. Les deux premières années, nous demeurions dans un petit logement aménagé à même le local du bureau, et ensuite l'immeuble a été vendu à la municipalité de la Baie-James. Dans le réaménagement, le bureau a été installé au rez-de-chaussée et nous, on s'est pris un logement dans un duplex, sur la rue des Trembles où nous avons demeuré jusqu'à notre départ de Matagami le 18 novembre 1984.

La vie s'est déroulée sans grandes histoires dans ma période de préretraite du monde des assurances. Au cours de ces cinq années, j'ai changé de patrons, mes anciens associés ayant vendu le bureau à la firme de courtage Gérard Parizeau ltée. C'est l'ami Gaston Pratte qui devint mon supérieur. Ce fut agréable de se retrouver pour travailler ensemble.

Au début de l'année 1984, j'ai connu le règlement final de mon aventure dans la construction d'un immeuble à logements à St-Lambert. Dans la même période, un de mes bons amis, Marc Lavigne décéda subitement. Ça m'a fait réfléchir, il était plus jeune que moi de quelques années et n'a pas beaucoup savouré sa vie, il travaillait l'équivalent de huit jours par semaine... C'est un événement qui m'a fait penser à la retraite. De plus, les travaux de construction des grands barrages hydroélectriques étaient terminés et une bonne partie de la population de Matagami occupée à ce vaste chantier, avait déjà commencé à quitter la ville. Le gisement de la mine Noranda s'épuisait, on avait réduit le personnel d'une centaine de personnes par année, de sorte que la population qui était de 6 000 en 1979 est tombée à 2 500.

Alors, je demandai à rencontrer mon patron Gaston Pratte lors de mon prochain passage à Rouyn-Noranda. Dans les jours qui suivirent, j'eus l'occasion d'exposer mon projet de retraite pour la fin d'août en lui proposant d'utiliser les bons services de dame Lysanne Vachon. Cette dernière avait pris son expérience au bureau de La Sarre et depuis son déménagement à Matagami, me remplaçait souvent pendant mes absences. Elle avait les qualités nécessaires pour accomplir cette tâche. De plus, elle s'était donné la peine de suivre des cours pour obtenir son diplôme de courtier d'assurances.

Quelques semaines plus tard, après discussions avec les responsables du bureau de La Sarre, on convint que je resterai en poste jusqu'au 31 décembre 1984. Le 18 novembre, notre ménage et nos effets personnels ont été déménagés dans notre logement loué à Rapide-Danseur, l'ancien dispensaire de *la garde-malade* construit au début de la période de la colonisation.

Fin décembre, j'ai eu droit à un « bien cuit » animé par Antonin Jacob qui était entouré de tout le personnel du bureau de La Sarre. On m'a remis un coffre d'outils pour me distraire et m'aider à oublier les assurances. Mais, le plus beau cadeau fut la remise de mon ameublement de bureau acheté en 1957, lors de notre aménagement dans l'édifice Gérard Lambert. Bel ameublement en cerisier avec fauteuils recouverts de vrai cuir. C'est avec fierté que je l'utilise encore quotidiennement dans le presbytère de Rapide-Danseur que nous habitons depuis 18 ans.

C'est ainsi que se termina ma carrière d'assureur. Je suis très fier de visiter les deux jeunes propriétaires actuelles du bureau d'assurances que j'ai fondé le 15 juin 1949, soit Annette Dufour et Denise Cossette.

Cette entreprise s'est développé grâce à la collaboration de tous ceux qui y ont travaillé, soit comme secrétaire, comptable et assureur en y ajoutant l'achat de clientèle acquise au cours des années depuis 1949, soit celles de : Lucien Mercier, Claude Ouellet, Romuald Morissette, Yvon Bédard, Drouin, Dubois & Sigouin, Gérard Morin, Brind'Amour & Masson, Richard Trépanier, Lainesse & Masson.

Je considère que ma carrière est une très belle histoire, et ce succès me fait oublier les déboires connus dans des expériences en dehors de ma profession.

Que faire après 35 ans passés dans les assurances?

Pour amorcer en douceur le début de mon histoire de retraité, j'aimerais ici revenir en arrière pour ainsi vous faire part du déroulement de certains faits qui se sont passés tout juste avant de prendre réellement ma retraite soit, le 31 décembre 1984. Fin septembre 1984, au Café Radio à Amos, je croisai mon ami Donald Murphy, celui qui m'avait, dans le passé, sollicité pour l'ouverture du bureau d'assurances à Matagami. Il m'informa d'une rumeur qui commençait à circuler selon laquelle je prendrais ma retraite en fin d'année. Je lui répondis que je ne l'annonçais pas sur les toits, mais que le 31 décembre, ce serait terminé pour les assurances.

Curriculum vitae abrégé en vue d'accepter le poste de directeur général de la Fondation de l'Université du Québec en Abitibi-Témiscamingue.

À ce moment-là, il me confia qu'il faisait partie du conseil d'administration de la Fondation de recherche de l'Université du Québec en Abitibi-Témiscamingue, et qu'on était à la recherche d'une personne pouvant bénévolement prendre en charge le développement de cette institution. (L'année précédente, l'UQAT avait obtenu ses lettres patentes comme université autonome faisant partie du réseau de l'Université du Québec, elle tombait sur le même pied d'égalité que celles de Montréal, Chicoutimi, Trois-Rivières, Québec, Hull et Rimouski. Le support d'une fondation s'imposait pour appuyer les professeurs dans leurs projets de recherche.)

C'est alors que l'ami Murphy me nomma les membres du nouveau conseil qui avaient défini les critères à retenir pour le choix du candidat, qui serait le futur directeur général : il devait avoir oeuvré dans diverses activités socio-économiques en région et en province, avoir la facilité de s'exprimer en public et si possible, ne pas avoir d'ennemis – le bilinguisme n'était pas obligatoire. Il me lança à la légère que peut-être que la personne idéale pour occuper éventuellement ce poste, se trouvait devant lui? Toutefois, nous ne nous sommes pas éternisés sur le sujet. Et puis, peu de temps après, lors de leur dernière réunion, Raymond Thibault, un des cadres des entreprises Normick de La Sarre, mentionna qu'il avait appris que Hilaire Boissé prenait sa retraite et qu'il serait peut-être le candidat tant recherché depuis un an. La proposition fut retenue spontanément, car tous les membres me connaissaient grâce à mon engagement dans diverses organisations sur le plan régional. Ils conclurent alors que mon curriculum vitae n'était pas requis, et on nomma Donald Murphy porte-parole du conseil pour me solliciter d'accepter ce poste. Par la suite, mon ami Murphy m'apprit que les membres du conseil avaient retenu m'a candidature au poste de directeur général.

Ce fut donc là, une première approche. J'exprimai à mon ami ma surprise de recevoir une telle proposition, que je n'avais pas de plans précis, mais que je ne rejetais pas l'offre du revers de la main et que j'y réfléchirai sérieusement.

Matagami, le 10 juillet 1984.

Madame le Maire, Messieurs les conseillers
Madame et Messieurs les marguilliers
Rapide-Danseurs
P. Québec

À qui de droit,

La présente est pour vous faire part que j'ai décidé de prendre ma retraite et de vous proposer de louer le presbytère, lorsqu'il sera disponible.

En devenant citoyen de votre municipalité et de votre communauté paroissiale, mon épouse et moi, vous offrons nos services en animation pastorale et aussi en partage d'expériences de vie dans quelques domaine que ce soit.

Nous serions très heureux de vous apporter notre contribution à la conservation de votre patrimoine qui fait l'orgueuil de notre région.

Si cette proposition vous intéresse, n'hésitez pas à nous convoquer pour une rencontre au moment de votre choix.

En attendant, veuillez agréer l'expression de mes meilleurs salutations et me croire,

Votre tout dévoué,

Hilaire Boissé

Téléphone: Bureau 739-3331

Lettre – proposition de louer le presbytère (lorsque nous avons quitté Matagami).

À ce moment, nous avions décidé de demeurer à Rapide-Danseur et d'habiter le presbytère, on s'était dit qu'il y en avait assez de vides pour qu'on puisse en occuper un. En préparation à cette deuxième vocation, qui était celle de retraité, nous avions suivi, Gilberte et moi, des cours de formation en services et ministères dans l'Église, organisés par le diocèse d'Amos. Cette formation durait 6 fins de semaine par année pendant 3 ans. Comme Rapide-Danseur est voisin de St-Laurent de Gallichan où mon fils construisait des serres pour la production de fleurs paysagères, je me proposais – une fois à la retraite – de lui consacrer tout mon temps disponible pour l'aider à la réalisation de son projet débuté l'année d'avant. Mais j'avais une certaine crainte à effectuer uniquement du travail manuel. J'avais à l'esprit la fin tragique d'un ami, Eugène St-Pierre, qui comme moi n'était pas habitué au travail manuel : avec un de ses petits-fils, il décida de labourer son grand jardin, le jeune était sur le tracteur et mon ami tenait les manchons de la petite charrue. Le soir, avec une attaque de cœur, il est entré à l'hôpital où il est décédé dans la nuit.

Donc, je me questionnais, serai-je assez raisonnable pour ne pas travailler au-delà de ma résistance physique, moi qui n'avais pas travaillé manuellement de façon régulière depuis 1947?

Tenant compte de toutes ces considérations, je demandai à mon ami Donald d'organiser une rencontre avec le directeur de l'UQAT, Rémy Trudel et le président de la Fondation, Guy Hébert, P.D.G. du complexe minier Aiguebelle.

Fin novembre, je dînai avec eux et on approfondit la méthode de travail qui pourrait être envisagée. On me donna le modèle de la création de la Fondation de l'Université de Chicoutimi qui avait commencé ses activités depuis quelques années.

En les quittant, je les rassurai en leur disant que ce n'est pas une tâche insurmontable, que c'était pour moi une occasion de travailler à la noble cause de la promotion de l'éducation en région. C'était aussi un défi que je relèverai non pas seul, mais avec tous les amis que je m'étais faits depuis 35 ans en région.

À la mi-décembre, la Fondation organisa une rencontre sociale à l'hôtel le Château d'Amos. Les membres du conseil y étaient tous avec conjoints et conjointes pour un copieux repas. J'exposai mes vues sur les moyens que j'entendais prendre pour réaliser la première collecte de fonds d'un million. Je suggérai d'étaler cette souscription sur cinq ans afin de ne pas effrayer la population avec une collecte de fonds ayant un objectif aussi élevé. C'était du jamais vu en région.

On ne projeta pas de solliciter de très grosses souscriptions, mais d'essayer d'atteindre toute la population par des moyens simples tels que : recommander aux municipalités de souscrire 1 $ par habitant, et ce, réparti sur cinq ans. Donc, en parlant de 20 ¢ par personne par année, ça ne faisait pas un choc! La même proposition fut faite aux caisses populaires de la région. Je suggérai de trouver un responsable pour la sollicitation auprès de chaque catégorie de professionnels, de commerces et d'entreprises. La soirée se termina sur une note optimiste : ce fut ma consécration au poste de directeur général de la Fondation de recherche de l'Université du Québec, en Abitibi-Témiscamingue.

Dans les jours qui suivirent, la firme comptable Samson & Belair nous offrit une partie de leurs locaux non utilisés pour y installer un bureau de travail. Il n'y avait pas d'espace ni d'ameublement disponible à l'Université. Heureuse coïncidence, mes anciens associés m'avaient remis tout mon ameublement de bureau que j'avais laissé au bureau d'assurances de Matagami en attendant de trouver l'espace pour pouvoir l'utiliser.

Il va sans dire que fin décembre 1984 vint très rapidement : l'heure avait sonné... le moment de la retraite s'était présenté. J'étais toutefois persuadé qu'elle avait bien démarré et que je continuerais à bien combler mes journées à venir dans cette nouvelle étape de ma vie.

Et puis, un déménagement s'imposa. Un déménageur de Rouyn-Noranda a transporté tout mon ameublement de bureau, et ce, à partir de Matagami jusqu'à Rouyn-Noranda. Finalement, le 3 janvier, avec mon épouse nous nous installions dans nos nouveaux locaux de l'édifice de la Banque de Montréal.

Début janvier, je sollicitai une invitation pour assister à un déjeuner hebdomadaire de la Fondation de l'Université de Chicoutimi. Le voyage fut très fructueux, on put profiter des expériences que les promoteurs de cette fondation avaient vécues et qui ont conduit aux succès espérés à ce jour. Au retour, on retint la formule du déjeuner hebdomadaire afin de pouvoir faire le suivi de chacun des engagements pris au cours de la rencontre.

Début mars, la campagne fut lancée officiellement et déjà il y eut assez de travail de fait pour annoncer quelques souscriptions importantes, dont Télébec avec 5 000 $ sollicité par Marcel Baril, un administrateur de la Fondation qui siégeait également au conseil de Télébec. Louis-Philippe Laurendeau D.G. de la Société nationale des Québécois était présent pour faire une souscription du même montant. François Gendron, député d'Abitibi-Ouest et ministre de l'Éducation promis sa participation de 200 000 $, conditionnelle à ce que le milieu en souscrive autant, ce qui s'est concrétisé dans les mois qui suivirent.

Plus tard, Rémy Trudel me proposa un adjoint pour la sollicitation des entreprises faisant affaire en région, mais dont le siège social était à Montréal ou ailleurs. Le ministère de l'Industrie et du Commerce en région était en restructuration avec son nouveau directeur régional, Claude Lecours, et il pouvait libérer un de ses cadres pour un an de préretraite au service de la Fondation. Il s'agissait de Jean-Jacques Martel, ancien courtier d'assurances, qui avait laissé la profession pour devenir député à Ottawa à l'époque de Diefenbacker. Par la suite, il avait été chef de bureau du ministre de l'Agriculture à Québec, Clément Vincent. Ce fut un compagnon de travail très précieux, il connaissait l'histoire de toutes les entreprises de la région. Comme promoteur minier en dehors de ses occupations officielles, il connaissait les dirigeants de toutes les mines actives en région, ce qui nous a facilité la tâche pour les solliciter. Nous avons organisé une tournée d'une semaine des sièges sociaux à Montréal. Par nos contacts, on avait des billets d'avion gratuits et deux chambres dans un grand hôtel de Montréal, nous n'avions que nos repas à payer!

Après trois ans d'activités suivies avec toute une équipe de volontaires, l'objectif du premier million était atteint.

Avec la direction de l'Université, nous avons élaboré un nouveau document définissant les besoins en recherche universitaire pour le développement de la région. Ma responsabilité était de donner de la visibilité à la

Fondation dans les congrès forestiers, miniers, agricoles et en toutes autres circonstances où il y avait un message à communiquer sur les recherches universitaires. Au cours des ans, avec l'évolution de l'Université, un consensus fut établi, permettant de retenir les services permanents d'un directeur général qui serait responsable de la promotion de la Fondation et de l'Association des diplômés de l'UQAT. À ma grande satisfaction, c'est Pierre Lafontaine qui fut choisi pour assumer cette fonction. On aime toujours voir prospérer une entreprise dans laquelle on s'est beaucoup investi lors de sa mise sur pied. Mon orgueil est de voir notre université qui, grâce à sa Fondation, est une des plus performantes en recherche dans tout le pays.

Hilaire Boissé reçoit la Médaille d'honneur de l'Université du Québec en Abitibi-Témiscamingue et la Médaille de l'Assemblée nationale en 1997.

Hommage à un grand Témiscabitibien

ROUYN-NORANDA, 30- Samedi dernier, la Société nationale des Québécois rendait hommage à M. Hilaire Boissé pour son implication et son engagement en faveur du développement régional.

Julianne Pilon

Photo Guy Lafrance

Nous apercevons, M. Hilaire Boissé, au centre, en compagnie de M. Louis-Philippe Laurendeau, directeur de la Société nationale des Québécois et M. Luc Brunet-Beaudry, président de la SNQ Abitibi-Témiscamingue.

De façon bien spéciale, la SNQ voulait souligner l'engagement de M. Boissé pour la Fondation de recherche de l'Université du Québec en Abitibi-Témiscamingue dont il est le directeur général bénévole depuis cinq ans.

D'un ton rieur, M. Boissé raconte son engagement comme directeur de la Fondation de recherche. "Un groupe d'intervenants régionaux avait effectué le travail préliminaire à la création de la Fondation. Mon nom a été proposé pour la diriger et j'ai fait l'unanimité. A ce qu'on m'a dit, on recherchait quelqu'un qui travaillerait bénévolement, qui avait une bonne connaissance de la région, qui était engagé sur le plan économique et ...qui n'avait pas d'ennemi."

Plus sérieusement, M. Boissé raconte qu'il est dans la région depuis 40 ans. Il a oeuvré dans le domaine des assurances. "Par mon travail j'ai été amené à connaître beaucoup de gens à travers toute la région et dans toutes les classes et j'ai appris à aimer ces gens. Nous avons une population très riche, de très grande valeur. Il faut lui donner les chances et les moyens de se développer. Nous sommes à l'époque de donner le goût au gens de bâtir des entreprises, de développer la région."

L'éducation est un outil pour bâtir. "Pas de scolarisation, pas de développement", lance M. Boissé. L'Abitibi-Témiscamingue a de tristes records au niveau de l'éducation. "Nous avons le plus bas taux de scolarisation au Québec ainsi que le plus bas taux de passage du secondaire au collégial et le plus bas taux de passage du collégial à l'universitaire", constate le directeur de la Fondation de l'UQAT. Une université en région et une Fondation qui fait la promotion de la recherche sont des instruments importants. M. Boissé considère qu'il ne fait que rendre à l'Abitibi-Témiscamingue, ce que la région a fait pour lui. "Je ne suis pas un diplômé universitaire mais je crois en l'importance de la formation universitaire. Et je mets mes talents de rassembleur au service de la Fondation." Selon M. Boissé, c'est cela son rôle, rassembler les gens, faire des relations publiques afin de donner les moyens à la Fondation de financer en tout ou en complémentarité des projets de recherche adaptés à la région.

Selon M. Boissé, avec le nouveau plan d'action de l'UQAT et sa relocalisation, la Fondation de recherche est appelée à prendre de l'ampleur. "Je suis prêt à continuer. J'ai le goût", déclare ce retraité qui se définit comme étant de l'Abitibi-Témiscamingue

Hommage de la Société nationale des Québécois, 1990.

Québec, le 8 novembre 1997

À l'intention de monsieur Hilaire Boissé

Je tiens à vous féliciter pour la médaille d'honneur qui vous est décernée par l'Université du Québec en Abitibi-Témiscamingue.

Depuis près d'un demi-siècle, vous mettez votre compétence professionnelle et vos qualités personnelles au service des membres de la communauté abitibienne. Votre dévouement exemplaire, votre grande disponibilité et votre dynamisme méritent assurément d'être soulignés.

Grâce à votre générosité et à votre indéfectible engagement, vous avez apporté une précieuse contribution au développement de la grande région de l'Abitibi-Témiscamingue. Je vous en remercie chaleureusement.

Je souhaite qu'une bonne santé vous permette de réaliser tous les projets qui vous tiennent à coeur et vous offre mes meilleurs voeux de bonheur.

Lucien Bouchard

Message du premier ministre Lucien Bouchard.

À ma troisième année de travail, en 1988, la Société nationale des Québécois m'a décerné le titre de « l'homme de l'année » pour mon engagement bénévole à la Fondation de l'UQAT. Et lorsque le nouveau directeur général est entré en poste, c'est toute la communauté universitaire qui s'est réunie pour me remettre la « Médaille d'honneur de l'Université du Québec en Abitibi-Témiscamingue ». Cette soirée du novembre 1997 était sous la présidence de Mme Rita Barrette.

Je ferme donc ce chapitre en mentionnant les

généreuses personnes qui ont travaillé pour la fondation de cette institution, à savoir (par ordre alphabétique) : Marcel Baril, Léo Bernier, Gilbert Bossé, Jean-Charles Coutu, Jean-Louis Dulac, Suzanne Firlotte, Marcel Gaudreau, Roger Gauthier, Raymond Grenier, Guy Hébert, Louis Lapointe, Guy Lesage, Jean L'Houmeau, Jean-Jacques Martel, Donald Murphy, Claude Perron, Léonard Robitaille, Jacques Rocheleau, Jacqueline Rock, Rémy Trudel.

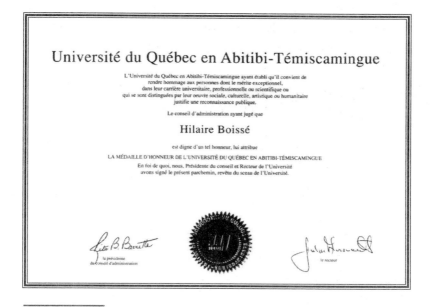

Médaille d'honneur de l'Université du Québec en Abitibi-Témiscamingue.

Mes engagements dans les entreprises et sociétés

Sur la ferme chez mes parents, j'ai été membre du **cercle des jeunes éleveurs** où j'ai appris beaucoup sur le cheptel laitier, les différentes races de vaches laitières avec leurs spécificités en production laitière ou engraissement pour la viande. On nous apprenait comment dresser un animal pour parader dans les expositions agricoles.

J'ai aussi été membre du **cercle des jeunes agriculteurs** de Bonsecours. On nous enseignait beaucoup la gestion des fermes, la culture des grains, les méthodes de labour et d'ensemencement ainsi que l'identification des plantes. On nous donnait des devoirs et nous participions à des rassemblements soit dans des expositions agricoles à Waterloo ou à Granby et parfois, à des visites commentées et éducatives à la ferme expérimentale de Lennoxville où nous étions accueillis par M. Ste-Marie, directeur de la ferme. C'était un agronome très intéressant à écouter, une vraie encyclopédie agricole. C'est comme suite à mes activités dans ce cercle que j'avais gagné une bourse d'études pour aller un an à l'école d'agriculture de St-Césaire. On m'a dit que je m'étais classé premier dans tous les concours pour les comtés de Brome, Shefford et Rouville.

Lors de la fondation d'une section de la **JAC** (Jeunesse agricole catholique) à Bonsecours, j'ai accepté la présidence du mouvement. Pour le fonctionnement, nous avions le support du curé de la paroisse, Rock Poitras, ainsi que de l'aumônier diocésain, l'abbé Brault au moment de la fondation en plus de l'abbé Édouard Comeau qui était aussi agronome, né dans la paroisse agricole de Danville. C'est avec lui que j'ai fait mon premier voyage en Abitibi en 1948. L'objectif du mouvement était de permettre aux jeunes de discuter ensemble à l'intérieur d'un cercle d'études où chacun apprenait à s'exprimer et à envisager toute situation avec la méthode du « voir, juger et agir ». Les sujets proposés étaient variés, soit dans le domaine religieux, l'établissement d'un foyer en milieu rural ou ailleurs, les fréquentations, les loisirs, le mariage. En 1944, on m'a nommé président diocésain, poste que j'ai occupé jusqu'à mon mariage. Ce fut une belle expérience de relations humaines. Nous avions des activités dans des paroisses différentes dans le diocèse, et deux fois l'an, nous avions des rassemblements sur le plan provincial. C'étaient des rencontres très enrichissantes, tant sur le plan religieux que social. D'ailleurs, c'est dans une rencontre provinciale de ce mouvement qu'en 1948 j'ai rencontré la jeune fille qui est devenue mon épouse le 1er juillet 1950.

Quelques années avant de quitter les Cantons de l'Est, à Cowansville, j'ai été initié membre du conseil des **Chevaliers de Colomb** de Granby. Par la suite, lors de mon arrivée à Ste-Germaine, en Abitibi, plusieurs Chevaliers de la place m'ont invité à réintégrer le Conseil de Duparquet. Mais un peu plus tard, lorsque nous avons déménagé à La Sarre, je n'ai pas fait mon intégration au Conseil de cette ville. C'était par choix… La famille me prenait beaucoup et je la priorisais.

À Ste-Germaine, j'ai été président du **Cercle**

Lacordaire, mouvement qui prônait l'abstinence totale de consommation d'alcool. J'étais entré dans ce mouvement à Baie-Comeau pour entraîner mon ami Bruno Bazin de Magog qui était commis dans un camp. Lors de la visite d'un missionnaire de chantier, ce dernier faisait la promotion de ce mouvement qui s'imposait plus à cette époque qu'aujourd'hui. Le prêtre avait des formules d'engagement et proposa à Bruno de signer car il avait des problèmes de consommation. Celui-ci répond au curé : « Si Hilaire signe, je signerai ». J'ai signé sans argumenter en me disant que ça me coûterait plus cher d'être Lacordaire que ça me coûtait pour la boisson. Je n'ai jamais regretté mon geste. Mon ami n'a jamais repris une goutte, il s'est marié par la suite avec une très bonne fille et a élevé une belle famille d'une demi-douzaine d'enfants. Il est devenu propriétaire d'une grande ferme laitière aux États-Unis, 1 500 vaches.

J'ai cessé d'appartenir à ce mouvement lorsque les plus vieux de nos enfants ont été d'âge à consommer des boissons alcoolisées. J'avais sous les yeux l'exemple de familles qui n'avaient donné aucune éducation à leurs enfants sur la consommation raisonnable d'alcool, et ces enfants se faisaient à tout moment des beuveries de fin de semaine qui scandalisaient leurs parents. C'est alors qu'il y a eu différentes sortes de boissons à la maison et que, de temps en temps, on avait une bouteille de vin sur la table. Je suis fier de la décision que nous avions prise, mon épouse et moi. Je crois que nos enfants ont appris en famille la manière de faire une consommation raisonnable d'alcool. Par contre, je ne dis pas que les enfants, pendant leur adolescence, n'ont pas fait baisser le niveau du contenu de certaines bouteilles en notre absence, je n'ai jamais vérifié, mais j'ai déjà entendu des rumeurs qui circulaient parfois à cet effet...

En 1955, à notre arrivée à La Sarre, le premier mouvement qui a sollicité mon adhésion fut le «Jeune Commerce», appelé la **Chambre de commerce des jeunes.** C'était comme une école de formation d'entrepreneurs et de cadres supérieurs dans les entreprises. Cette organisation était très dynamique dans toutes les villes du Québec, tout en étant groupée en fédération régionale, ce qui m'a permis de me faire des amis dans toutes les villes d'Abitibi-Témiscamingue. J'ai participé à plusieurs congrès régionaux et provinciaux. Chaque région faisait adopter une résolution qu'elle essayait de faire prioriser au congrès provincial. Une année, le comité régional s'était entendu pour demander l'établissement d'une école des mines en région parce que les jeunes qui voulaient étudier en techniques minières devaient aller en Ontario. Au congrès provincial, la région avait eu beaucoup de discussions pour faire prioriser sa résolution, c'est à ce moment qu'un membre de Val-d'Or avait, comme argument extrême, brandi la menace de créer une onzième province au Canada qui aurait eu comme territoire l'Abitibi-Témiscamingue et la partie nord de l'Ontario. Nous avions arraché le morceau, mais ce ne fut pas le lendemain que la démarche a commencé pour favoriser la région d'un enseignement dans le domaine de l'exploitation minière. Ce ne fut qu'après la création des cégeps.

Les concours de débats oratoires apportaient beaucoup

d'émulation, tant sur le plan local, régional que provincial. Au fil des ans, plusieurs des lauréats se sont retrouvés engagés en politique à divers paliers du gouvernement. C'est avec satisfaction que je constate que sur le plan régional, il y a au moins deux entreprises qui existent encore après avoir été bâties par des pionniers de la Chambre de commerce des jeunes, soit : l'entreprise de déménagement J.-G. Cotnoir fondée par Jean-Guy Cotnoir de Rouyn-Noranda et l'entreprise Ben Deshaies ltée, grossiste en alimentation, fondée par Ben Deshaies d'Amos.

Présidence à la Chambre de commerce, article tiré de l'Écho en 1961.

La Chambre de Commerce expose ses projets à l'occasion de la visite de l'administrateur de la Fédération

CHIBOUGAMAU, 8 — L'administrateur de la Fédération des Chambres de commerce de l'Abitibi, M. Hilaire Boissé, Me André Lavigne, secrétaire du même organisme, MM. Adrien et Alfred Baril, tous de La Sarre, M. Albany Julien, membre de la Chambre de Barraute, M. Marcel Monette, de la Chambre de Val d'Or, étaient les hôtes, vendredi soir, le 24 mars, de la Chambre de commerce de Chibougamau, lors d'une assemblée générale tenue à l'hôtel de ville qui groupait plus de 60 membres.

A l'issue d'un souper intime qui eut lieu au Café Paris et auquel y prirent part outre les invités de l'extérieur, le vice-président Me Robert Lamontagne, les directeurs Yvon Gauthier, C.-R. Perrault, Gaston Boulanger, Gérard Paradis et Arthur Thomas, tous se transportèrent à l'hôtel de ville où un grand nombre de nouveaux membres s'étaient rendus pour assister à cette assemblée, qui fut l'une des plus intéressantes depuis la fondation de la Chambre de commerce à Chibougamau.

65 membres

Le président du Comité de recrutement, M. J.-B. Boisvert, a fait rapport à la Chambre de la liste de 42 nouveaux membres, qui ont consenti à faire partie de cet organisme bien vivant depuis sa réorganisation. M. Boisvert, qui a été secondé dans son travail par les membres suivants de son comité: MM.

M. Hilaire Boissé, administrateur de la Fédération des Chambres de l'Abitibi, lors de sa récente visite à Chibougamau, accompagné de MM. André Lavigne, notaire, secrétaire de la Fédération, de La Sarre, Albany Julien, de Barraute, Adrien et Alfred Baril, de La Sarre, Marcel Monette, architecte, de Val d'Or, a prononcé une allocution à l'assemblée de la Chambre, qui eut lieu à l'hôtel de ville, le 24 février dernier.

Chambre de commerce, article de journal, 1961.

Jeune commerce régional – 1956.

Assemblée de l'exécutif de la Chambre de commerce de La Sarre – 1958.

L'aéroport sera inauguré le 22 juillet

1983-87

(YA)L'aéroport municipal de La Sarre sera inauguré officiellement le dimanche 22 juillet prochain. Le Conseil économique chapeaute la partie protocolaire de l'événement (qui débutera à 15h), tandis que le Club aéronautique, de La Sarre, offrira de son côté diverses activités aériennes à compter de 11h l'avant-midi.

Bien que les deux ministres des Transports (celui d'Ottawa et de Québec) ne doivent pas être présents, chaque palier de gouvernement sera quand même bien représenté par des invités spéciaux. Les transporteurs Nordair, Québécair et Propair doivent être présents. Le comité organisateur souhaite aussi obtenir la participation de petits transporteurs privés industriels.

On profitera de l'inauguration officielle de l'aéroport de La Sarre pour souligner les 25 ans d'histoire du dossier. C'est la défunte Chambre de commerce sénior de La Sarre, présidée à l'époque par M. Hilaire Boissé, qui avait écrit en 1959 la toute première lettre aux autorités gouvernementales réclamant la construction d'un aéroport dans cette ville. M. André Lavigne était secrétaire de la Chambre, cette année-là tandis que M. Léo Vanasse agissait comme président du "comité-aéroport". Ces trois "pionniers" seront présents et la Chambre de commerce actuelle de La Sarre doit les honorer.

Toute la population du secteur est conviée à cette journée marquante dans l'histoire économique de l'agglomération.

Les travaux se poursuivent

Les travaux se poursuivent encore, à l'aéroport, en ce qui regarde l'édifice à usages multiples. La finition intérieure est très avancée tout comme la pose des installations électriques. Il est possible que cette étape soit complétée au moment où vous lisez ces lignes. Le service de carburant devrait débuter sous peu.

BALISAGE LUMINEUX: Les documents relatifs à l'installation d'un système de balisage lumineux ont été expédiés à Transport Canada au milieu de juin. Ces travaux sont évalués à $116,000. Le moment où ce système sera installé n'est pas encore connu.

DEBOISEMENT: Le ministère Energie et ressources a accordé les permis requis pour exécuter des travaux de déboisement en bordure de l'aéroport; travaux destinés à compléter ce qui avait déjà été fait et rendre le tout conforme aux normes de sécurité pour l'atterrissage des appareils.

Comme l'a signalé le commissaire industriel Philippe Saint-Georges au cours d'une conférence de presse tenue le 5 juillet, il faudra penser à installer un radio-phare de même qu'un système radio dans un proche avenir.

Inauguration de l'aéroport de La Sarre – 1983.

Ma participation à la Chambre de Commerce des Jeunes comme membre, président local, et ensuite régional, m'a permis de prendre racine dans la communauté des hommes d'affaires. Mon passage à la Chambre de commerce des jeunes a été mon noviciat pour préparer mon adhésion à la **Chambre de commerce** où l'on débattait des sujets qui permettraient d'améliorer la qualité de vie dans notre ville comme en région.

Les deux principaux dossiers dans lesquels je me suis le plus engagé furent celui de la création d'un aéroport à La Sarre et celui de la Fondation du foyer de l'âge d'or. Pour ce qui est de l'aéroport, la démarche a commencé lors de mon année de présidence. Mon ami J.-J. Martel d'Amos venait d'être élu député à Ottawa, et m'a demandé pour se présenter à l'une de nos réunions pour exposer la nouvelle politique d'Ottawa concernant l'implantation d'aéroports dans les régions nordiques.

À cette réunion, il nous informa qu'Ottawa projetait l'installation d'un aéroport à La Sarre, à Amos, à Senneterre et dans la région du Témiscamingue. Ce projet était mis de l'avant pour des fins de sécurité militaire d'abord, et ensuite, pour la protection des forêts et le transport d'urgence vers les grands centres. Le milieu devait prendre l'initiative avec la collaboration de la CAF (Canadian Air Force). À deux reprises, avec Charles Alarie, vice-président de la Chambre, nous avons visité avec leurs ingénieurs les sites potentiels. À l'époque, le Domaine Dubuc n'était pas encore construit, nous leur avons proposé la piste de course qui était de moins en moins utilisée et le terrain de l'emplacement actuel de l'aéroport. Aussitôt le site choisi, on obtint la permission du ministère des Terres et Forêts, représenté à La Sarre par M. Philippe Duval. C'était un endroit très sablonneux où il n'y avait que quelques arbres. Nous offrîmes ceux-ci aux résidants des paroisses environnantes. Ce sont les gens de St-Vital et de Val St-Gilles qui ont fait la récolte de ce bois de chauffage. La Chambre a proposé aux propriétaires de gros tracteurs qui obtenaient l'été, du ministère de la Colonisation, des contrats de défrichement de venir travailler quelques jours à l'aplanissement de la piste. André Lavigne, secrétaire de la Chambre, s'engageait à tenir la comptabilité des heures travaillées afin de pouvoir les payer lorsqu'on réussirait à obtenir une subvention. Une bonne demi-douzaine de tracteurs ont travaillé presque jusqu'aux neiges à préparer la piste sous la surveillance à distance des ingénieurs de l'aviation militaire.

En hiver, mon mandat à la présidence de la Chambre s'est terminé. J'ai été remplacé par un autre membre dynamique, l'ami Léo Vanasse; c'est lui qui a poursuivi les démarches pour la réalisation du projet. En même temps, sur le plan politique, les libéraux ont pris le pouvoir à Québec. Un citoyen de La Sarre a été élu député, l'agronome Alcide Courcy; le premier ministre Jean Lesage l'a nommé ministre de l'Agriculture. Celui-ci convainquit le ministère des Terres et Forêts d'acheter l'aéroport. Alors, tous les propriétaires de tracteurs qui avaient travaillé sur la piste ont été payés.

Avant mon arrivée à la présidence, un autre comité avait été formé en vue de réaliser la construction d'un foyer d'hébergement pour nos personnes âgées. La direction de la Chambre trouvait que régionalement, nous n'étions pas organisés pour permettre à nos pionniers de passer une vieillesse heureuse et confortable. Ce comité était sous la présidence de M. Florian Olscamp. Mais, après les élections, ce monsieur Olscamp devint le secrétaire du bureau du ministre de l'Agriculture, Alcide Courcy, à La Sarre. Alors, il était dans l'ordre des choses qu'il démissionne de la présidence de ce comité. C'est à ce moment que la direction de la Chambre me pria de le remplacer. L'ami Olscamp avait fait un certain travail depuis deux ans, le responsable du Ministère avait demandé de lui fournir la liste des personnes (avec leur âge) qui pourraient être qualifiées pour être hébergées dans un foyer semblable. Deux ans après l'expédition de la liste, un inspecteur fut désigné pour rencontrer ces candidats potentiels. Malheureusement, comme on avait trop retardé pour faire cette enquête, quelques-uns étaient décédés et on nous reprocha de ne pas avoir été sérieux dans notre travail. Nous leur avons expliqué que si ces personnes avaient été dans un foyer approprié pour répondre à leurs besoins, elles n'auraient pas pris la route du sanatorium, faute d'avoir un endroit plus convenable. Avec le nouveau gouvernement, un M. Ramsay a été nommé au Ministère et est devenu le responsable avec qui nous aurions à traiter pour la réalisation du projet. Celui-ci nous donna la liste des étapes à franchir pour réaliser la construction de ce foyer d'hébergement pour personnes âgées autonomes :

1. Former une corporation,

2. Acquérir un terrain selon les normes du Ministère,

3. Organiser une campagne de souscription auprès de la population, représentant 10 % du projet à réaliser,

4. Trouver une communauté religieuse qui serait responsable de la gestion du personnel et des soins à donner aux pensionnaires bénéficiaires.

Comme par hasard, j'ai été désigné président de cette corporation dont les directeurs nommés étaient les suivants :

- Adrien Baril   - Gérard Mercier
- Bernard David   - Florian Olscamp
- Rosaire Gagnon   - Normand Perron
- André Lavigne   - Roland Roy

Ensemble, nous avons rencontré le curé Victor Cormier pour obtenir un terrain sur la terre de la fabrique St-André de La Sarre. La démarche a été fructueuse, quelques semaines plus tard nous signions le contrat d'achat pour la modique somme de 1 $.

Le projet de construction devait prévoir un immeuble qui pourrait loger 40 bénéficiaires et selon les normes, le coût serait de 700 000 $. Nous avons donc formé un comité de souscription avec objectif de recueillir cette somme. C'est M. Fernand Doyon, dentiste, qui accepta la présidence; il s'est donné beaucoup de peine à rencontrer tous les conseils municipaux pour les intéresser au projet.

Entre-temps, l'architecte Monette de Val-d'Or s'occupait de la préparation des plans et devis pour aller en appel d'offres auprès des entrepreneurs de la région. C'est la firme Les Constructions St-Amant de La Sarre qui a été choisie. Nous n'avons pu commencer la construction rapidement, le coût par logement étant plus élevé que la norme établie par la Société d'hypothèque et de logement du Canada. On a dû faire beaucoup de négociations avec eux pour réduire le coût, ce qui automatiquement diminuait la qualité de l'immeuble. Tout ce qui a été enlevé a dû être rajouté dans les mois qui suivirent l'ouverture du foyer. Par exemple, on nous avait fait amoindrir de 2 pouces l'épaisseur de l'isolation de la toiture qui était en partie de style cathédrale. Au premier gros froid, la chaleur de l'intérieur faisait fondre la neige et l'eau coulait partout. Il a fallu d'urgence reposer à l'intérieur les deux pouces d'isolant que nous avions accepté d'enlever et refaire un nouveau fini intérieur. Comme le plancher était une dalle de béton sur le sol, nous avions prévu la pose d'un tapis mais on nous l'a fait remplacer par *des tuiles*. Dès les premiers mois de l'hiver, les bénéficiaires se plaignaient du froid provenant du plancher; nous avons dû poser un recouvrement de tapis.

En fin d'août 1967, les premiers bénéficiaires étaient accueillis par les Soeurs de la Providence qui avaient accepté la gestion de cette institution. Je n'avais pas eu trop de difficultés à les convaincre de venir en Abitibi. Au cours de mes fréquents voyages à Québec et à Montréal, je m'étais arrêté au foyer de Louiseville près de Trois-Rivières, qui était tenu par les membres de cette communauté. Aussi, ce qui avait facilité les choses, une soeur de ma mère était dans cette communauté depuis une cinquantaine d'années ainsi que deux de mes soeurs,

Marie-Anna et Monique – qui étaient au conseil de direction de la communauté.

Je me souviens des noms des premiers bénéficiaires, de vrais pionniers de la région tels que les Petit de La Sarre, les Garneau et les Verrette de Roquemaure et François Caron de Palmarolle.

Je suis resté quelques années à m'occuper du foyer. Presque tous les matins, je rencontrais la direction avant de me rendre à mon bureau. À la Chambre de commerce, ce fut pour moi un mandat qu'il m'a fait plaisir de mener à terme.

À ma dernière année de présidence, j'ai participé comme administrateur régional des Chambres de l'Abitibi, et aussi pour quelques années je fus administrateur de la Chambre provinciale, ce qui me permit de me faire des amis de toutes les régions de la province. J'étais à la vice-présidence lorsque mon ami Léo Vanasse m'a fait réfléchir en me posant la question : « Où t'en vas-tu? Est-ce que tu as l'intention d'aller en affaires sur la base provinciale? » La semaine suivante, j'ai envoyé ma lettre de démission. Je remercie encore mon ami Vanasse. Dans les jours qui suivirent, j'ai reçu plusieurs appels des membres de l'exécutif provincial pour m'inciter à rester, comme quoi mon tour à la présidence provinciale était dans deux ans. Je les ai remerciés en leur disant que tel n'était pas mon objectif. Je rends hommage à mon ami Marcel Baril qui est allé jusqu'au bout à la présidence de la Chambre provinciale.

Durant les cinq ans passés à Matagami, je me suis

intéressé aux activités de la Chambre et j'ai même accepté, après forte pression du milieu, la présidence la deuxième année après mon arrivée. Au cours de mon mandat, avec la direction, nous avons fondé la Corporation de développement économique Matagami-Joutel, ce qui nous a permis d'engager le premier commissaire de développement économique, un bon jeune homme de Rivière-du-Loup, Yves Caron, qui venait de réussir ses examens d'expert-comptable.

Pendant mon mandat à la présidence, j'ai assisté deux ans de suite au congrès provincial de la Chambre pour me rappeler les moments agréables vécus autrefois dans cette organisation que j'ai bien appréciée.

Être président de la Chambre de commerce, c'était être dans l'obligation d'accepter toutes sortes de mandats. Un jour, il y a menace de grève des camionneurs attitrés au transport de carburant de Matagami à LG2. Le nouvel entrepreneur qui avait été choisi avait obtenu le contrat en tenant compte que chaque tracteur tirerait deux semi-remorques réservoirs au lieu d'une, ce qui réduisait de moitié le nombre de chauffeurs. Alors, un mouvement de contestation a monté. Au point que M. Couture de l'Hydro qui devait négocier avec les contestataires avait peur d'aller à Matagami, mais était prêt à se rendre à Val-d'Or rencontrer les chauffeurs à condition qu'ils soient accompagnés d'un responsable de la Ville. Le maire, les échevins et le curé Gaston Letendre refusèrent tous, mais le Père Letendre m'appela pour vérifier si le président de la Chambre de commerce n'accepterait pas ce mandat; je lui ai répondu positivement pour le bien de la communauté. Ensuite, l'ami Pearson, un des leaders du groupe, est venu me rencontrer, et avec quelques-uns de ses collègues, on s'est rendu à Val-d'Or pour un rendez-vous avec le responsable du transport des marchandises sur le territoire. La rencontre s'est déroulée dans une relative sérénité. L'employeur produisait l'étude d'impact d'une compagnie qui opérait une flotte de camions utilisant de multiples remorques attachées au tracteur principal. La pression a baissé d'un cran, mais tout n'était pas réglé. J'ai considéré mon mandat comme terminé. Mais la situation n'était pas pour autant réglée, car quelques semaines plus tard, il y a eu grève et blocage de route. La Sûreté du Québec a été obligée d'intervenir. C'est un des souvenirs de mes engagements dans les Chambres de commerce.

Au cours des années 60, la population du Québec réfléchissait sur les moyens à prendre pour gérer régionalement son développement. Elle décida de créer des organismes régionaux regroupant les leaders de tous les milieux afin de créer une force indépendante de la politique qui déciderait et conseillerait l'État sur les priorités d'interventions gouvernementales pour le mieux-être de la population. En Abitibi-Témiscamingue, dans cette foulée, on fondit le **CERNOQ** (Conseil Économique Régional du Nord-Ouest Québécois) en 1964. Albert Alain, cultivateur de Rochebaucourt, président régional de l'UCC qui est devenue l'UPA, devint le premier président de l'organisme. À son départ de la région, la présidence fut reprise par un jeune ingénieur forestier employé par la CIP (Canadian International Paper). À cause de problèmes avec le directeur général, il démissionna. C'était l'époque où Québec voulait désigner des villes en région qui auraient le titre de capitale régionale. Quelle belle question pour alimenter les guerres de clochers! Le directeur général se permettait de prendre position par des articles dans les journaux régionaux sans l'assentiment de son exécutif. Alors, après quelques réprimandes, l'exécutif le congédia, il refusa de partir, prétextant que c'était le conseil d'administration qui l'avait engagé; il convoqua donc ces derniers qui le reconfirmèrent dans ses fonctions. Mais le hic à cette réunion, c'est que pas un administrateur ne voulut accepter la présidence; on lui indiqua que s'il voulait garder son poste, il devrait se trouver un président en région qui serait prêt à travailler avec lui. L'organisme resta quelques mois sans fonctionner et sans président. C'était l'impasse et la déception chez les leaders régionaux qui avaient tant d'espoir dans cet organisme de développement. En novembre 1968, je reçus un appel d'un ami membre du conseil d'administration du CERNOQ, M. Odilon Boutin des Chantiers coopératifs. Il me demanda si je prendrais la présidence pour sauver la situation. Je ne pouvais pas refuser ça à celui qui m'avait en quelque sorte permis de m'installer en région. Quelques jours plus tard, je reçus un appel de ce directeur à la recherche d'un président, il me sollicitait en entrevue sans me donner l'objet de cette demande. Mais je savais que le message de M. Boutin s'était rendu au bon endroit. J'acceptai de le rencontrer pour qu'il m'expose sa demande. Il insista beaucoup pour avoir mon acceptation sur-le-champ. Je lui demandai du temps pour réfléchir et le priai de me rappeler vers le 10 janvier 1969 s'il n'a pas trouvé d'autre candidat à la présidence. À ce moment, il me demanda une entrevue pour discuter de mon acceptation et si possible faire le programme du redémarrage des activités.

On s'entendit donc pour la tenue d'une réunion du conseil exécutif, d'abord pour entériner ma nomination à la présidence de l'organisme et, si la décision était positive, on tracerait le programme de la prochaine réunion du conseil d'administration. Tout a fonctionné tel que prévu, la première réunion a débuté à 14 h pour se terminer à 2 h. Tout le monde a eu la chance de vider son sac. Les interventions des chefs de quelques syndicats de travailleurs ont été très longues – pour eux, c'était la plus belle tribune pour proposer des solutions à tous les maux qui affligeaient la société. En terminant, on s'entendit sur une chose, c'est que les prochaines réunions débuteraient à 16 h pour se terminer au plus tard à 21 h et que nous prendrions le repas au cours de la réunion.

À cette époque, le gouvernement avait créé un organisme de consultation qu'il démarrait avec la coopération des organismes régionaux qui avaient été fondés dans toutes les régions de la province. Un sous-ministre, M. Arthur Tremblay, avait été affecté à cette tâche. Nous avons eu sa visite à une de nos réunions du conseil d'administration, ce qui lui a permis de nous expliquer l'application de cette nouvelle politique dans notre région. Il nous annonça que deux animateurs passeraient au moins deux mois à tenir diverses rencontres de consultation auprès de la population afin de rédiger un rapport sur les priorités à considérer en vue d'une politique régionale de développement en harmonie avec le milieu. Roméo Bouchard, actuel président de l'Union paysanne était un de ces animateurs. À la fin du printemps, je reçus un appel du secrétaire Guy Lesage qui m'invitait à un lunch pour discuter avec un des vice-présidents, J. O. R. Rochon. Lors de cette rencontre, on me fit part des ravages faits par notre directeur général l'an passé par ses prises de position sur la politique des capitales régionales. Les principales villes de la région refuseraient leur contribution financière au CERNOQ si on maintenait notre directeur en poste.

On décida donc de penser à son remplacement et on ouvrit un concours d'offre d'emploi à l'échelle de la province. À la suite de cet affichage, nous avons reçu plusieurs candidatures intéressantes. Nous avons en premier lieu accepté quelqu'un qui faisait, dans les Maritimes, un travail semblable à celui qu'on lui offrait. Il vint nous rencontrer. Le candidat nous plut et nous l'engageâmes, il commencerait dans un mois. Une semaine plus tard, il nous avisa que sa femme avait peur de s'ennuyer et qu'il ne pouvait accepter le poste.

Mais comment fermer nos livres avec le directeur général qui devait partir? Réunis en caucus, on conclut que c'est moi qui devais procéder. Je fis donc venir l'homme en question à mon bureau et je lui exposai la situation, il finit par comprendre qu'il était allé un peu trop loin dans l'expression de son opinion personnelle, mais il n'y avait pas, à son avis, matière à renvoi. Je lui expliquai qu'on était en situation de non-retour, qu'il était devant l'alternative de démissionner, ce qui serait une sortie honorable, ou d'accepter notre avis de congédiement. Il me demanda une journée de réflexion. Le lendemain, il me téléphona pour me dire qu'il enverrait sa lettre de démission à condition qu'on lui paie un mois de salaire et qu'on lui donne une lettre de recommandation pour l'aider à obtenir un autre emploi. Demande que j'ai acceptée sur-le-champ, mais en lui disant qu'il devrait composer lui-même la lettre de recommandation pour que je puisse la signer. Pour ce qui était de son emploi, il était en congé sans solde dans la fonction publique du gouvernement du Canada.

Pour le remplacer, nous avions reçu la candidature de Roger Guy qui terminait un contrat d'animateur dans la région du Bas-du-Fleuve. Alors qu'on tentait d'implanter dans cette région les politiques fédérales du BAEQ (Bureau d'aménagement de l'Est du Canada), tenant compte de sa formation et de son expérience, nous avons retenu ses services. Entre-temps, les travaux de secrétariat ont été sous la responsabilité d'un brave jeune homme, Réal Gagnon. Grâce à son expérience, ce fut très agréable de travailler avec Roger Guy qui a exécuté son mandat de rassembleur auprès de la population, du conseil exécutif, du conseil d'administration ainsi qu'avec les différents paliers de gouvernement avec lesquels il a eu à traiter comme directeur général du CERNOQ.

En 1971, le nom de l'organisme devient **CRDAT** (Conseil régional de développement de l'Abitibi-Témiscamingue). Mes occupations ne me permettaient plus de consacrer autant de temps au fonctionnement de cet organisme, j'en ai donc décliné la présidence et c'est

M. Armand Brasseur, ingénieur demeurant à Val-d'Or qui fut choisi le premier président. J'ai continué de m'y intéresser, soit comme membre du conseil d'administration ou du comité exécutif; ce n'est qu'au début des années 1990 que j'ai laissé mon siège à d'autres. Cependant, j'en suis toujours membre individuel, ce qui me permet d'en suivre les activités.

L'Association des courtiers d'assurances. À partir de 1956, j'ai commencé comme membre de l'Association des courtiers d'assurances de la province de Québec à assister tous les ans au congrès annuel, ce qui me permettait de connaître les collègues courtiers du Québec et de rencontrer les sommités du monde des assurances. Pour moi, ces rencontres me valaient plusieurs mois d'université. Le seul autre courtier de la région que je rencontrais était l'ami Jacques Bouchard d'Amos qui était au conseil d'administration de l'Association depuis quelques années. Lors d'un de mes tout premiers congrès, il vint me trouver juste avant l'élection du conseil d'administration à la fin du congrès et me demanda si je n'accepterais pas d'être mis en nomination pour remplacer un autre courtier qui était de la région mais n'assistait jamais aux réunions du conseil. Je me suis dit que c'était un moyen pour moi d'apprendre davantage dans ma profession. J'ai été élu et j'ai pu profiter des conseils du directeur général, Charles d'Auteuil – son frère, un jésuite, était rédacteur de la revue de cette communauté, *Relations.*

Ma participation active dans l'Association pour une vingtaine d'années m'a permis de voir évoluer le dossier

*Hilaire et Gilberte au congrès des courtiers
d'assurance au Manoir Richelieu dans
Charlevoix, autour de 1965.*

du professionnalisme du monde de l'assurance. Les normes établies par l'association au cours des ans pour devenir courtier ont servi de modèles à toutes les provinces du Canada. Je m'y suis construit un réseau de connaissances – tant auprès des compagnies que des courtiers – qui m'ont été bénéfiques tout au long de ma carrière en assurances. Les dernières années, je m'étais retiré du conseil d'administration pour ne garder que le comité d'admission des nouveaux membres. Expérience intéressante.

L'OJC (Ordre de Jacques-Cartier). Environ deux ans après mon arrivée à La Sarre, je reçus un appel d'un bon cultivateur, ami et client de Palmarolle qui me sollicitait une rencontre à ma résidence avec un de ses amis. J'acceptai donc et un soir, on s'assit dans le salon. Il me demanda de fermer la porte. Je me demandais bien à quoi il voulait en venir. On m'exposa qu'il existait une société secrète de Canadiens-français qui avait des membres dans tout le Canada français et dont l'objectif était de promouvoir l'avancement sous toutes ses formes de la cause des Canadiens-français partout au pays. Il y avait un chapitre en Abitibi et une cellule en Abitibi-Ouest. On me confia que plusieurs avaient observé mes prises de position et mon comportement, et que l'on considérait que je ferais un bon membre pour renforcer le groupe. J'acquiesçai donc. Heureusement, les réunions n'étaient pas trop fréquentes, tant sur le plan local que régional. La deuxième année, j'acceptai de représenter l'Abitibi-Témiscamingue au congrès national qui s'est tenu au Château Frontenac à Québec sous le nom du rassemblement pour l'avancement de la science et de la culture. Plusieurs centaines de personnes ont assisté à ce rassemblement animé par des conférenciers de marque pour stimuler l'esprit nationaliste des francophones. Pas un étranger n'aurait pu soupçonner qu'il s'agissait du congrès des membres de l'Ordre de Jacques-Cartier, surnommé « La Patente ». Au retour de ce congrès, j'ai compris que même si l'objectif était très louable, ma présence dans ce mouvement n'était pas indispensable, surtout dans mon environnement immédiat.

Quelques années plus tard, à la suite de nombreuses

fuites, l'organisme est mort de sa belle mort. Je reste convaincu que son action a été très bénéfique pour l'avancement de la cause des francophones au pays.

Après mon arrivée à La Sarre, on me sollicita pour entrer dans un des clubs sociaux de la place. J'ai accepté l'invitation d'assister à quelques repas rencontre du club Richelieu. Je me sentais à l'aise avec ce groupe d'amis, mais je sentais que le mouvement avait été fondé en réaction à l'implantation de clubs sociaux internationaux tels que Kiwanis et Rotary. J'ai refusé de m'y enrôler à la fin des années 50, d'abord pour mes engagements familiaux qui étaient prioritaires et ensuite, je trouvais qu'au Richelieu la connotation nationaliste était un peu trop forte à mon goût.

Mais dans les années 60, alors que j'étais très engagé dans le comité de réalisation d'un foyer d'hébergement pour les vieillards à La Sarre, le **Club Rotary** m'a invité à un souper-rencontre pour que je leur expose le projet ainsi que les conditions pour le réaliser. Dans les rencontres subséquentes, un des membres, Fernand Doyon, accepta de prendre la présidence du comité de souscription pour recueillir les 70 000 $ nécessaires qui représentaient les 10 % requis du coût du projet.

De plus, avec la complicité du président Marcel Baril, le club s'engagea à verser 100 % des recettes nettes de l'exposition qui se tenait annuellement. Ce qui a rapporté, si ma mémoire est fidèle, près de 10 000 $. À la suite de ces événements, j'ai accepté en septembre 1966 de devenir membre du club après avoir été parrainé par Yves Hébert, gérant de la Banque Nationale. J'aimais l'esprit de bonne camaraderie qui agrémentait les rencontres. Sans doute que ce climat de camaraderie qui a été créé par le fondateur du premier club, Paul Harris, dure toujours à cause du mode de recrutement des membres de ces clubs qui consiste à ne prendre qu'un membre par profession ou représentant de type d'entreprise.

J'ai toujours été impressionné par l'histoire du fondateur qui pour pratiquer sa profession est allé s'installer loin de sa ville natale et s'ennuyant, décida pour se distraire d'organiser des rencontres avec des représentants de gens de professions différentes de la sienne. Une cinquantaine d'années plus tard, le mouvement était répandu sur une bonne partie de la planète! Comme activité sociale dans le milieu, le club se donna comme vocation de combler certains besoins dans la communauté. C'est pourquoi à La Sarre, le premier parc d'amusement extérieur créé avec sa piscine plein air a été l'oeuvre du Club Rotary.

La liste des engagements du Club Rotary à La Sarre serait trop longue à énumérer, mais sur le plan régional, je m'en voudrais de ne pas mentionner la belle expérience que j'ai vécue l'année où j'ai accepté la présidence en 1971. Un de nos membres, Gaston Matte, avait assumé la présidence du comité d'échange d'étudiants avec le Rotary International. Celui-ci avait piloté le dossier en vrai professionnel ayant en tête qu'un de ses enfants irait en échange, mais au moment de faire les préparatifs du départ, il se ressaisit et réalisa que sa fille était trop jeune pour vivre une expérience semblable. Il tenta de prendre un arrangement avec la commission scolaire de La Sarre pour accueillir l'étudiante qui arriverait de Portland, Oregon, É.-U. Mais la Commission ferait payer une pénalité de 3 000 $ au Club si on ne remplaçait pas l'étudiante de La Sarre. Alors, Gaston me supplia de l'aider à trouver une solution en me proposant d'envoyer un de mes enfants en remplacement.

Pour mes enfants, en regardant le cheminement scolaire et l'âge de chacun, il n'y avait qu'à Hélène que cette proposition pouvait convenir. Elle demeurait à Montréal pour l'été, avec sa soeur Louise, et occupait un emploi étudiant à la maison-mère des Soeurs de la Providence. Par téléphone, je demandai conseil à Louise. Elle me répondit que ce serait pour Hélène une belle bouée de sauvetage parce que ça ne l'intéressait pas tellement de revenir étudier à La Sarre. En soirée, je discutai du projet avec Hélène qui fut des plus intéressées. Sans lui dire ainsi, je lui fis passer un test de débrouillardise en lui demandant d'aller au bureau du consulat américain pour obtenir un permis de séjour étudiant aux É.-U. Le lendemain, elle me rappela pour me dire qu'elle avait déjà son document en main. Elle prit donc l'avion pour revenir à La Sarre faire sa valise. Le dimanche matin, elle quittait Dorval pour l'Oregon. En soirée, elle nous rappela de la résidence du rotarien Ray Miller qui l'accueillait en attendant de la reconduire dans sa famille d'accueil. Ce fut une expérience inoubliable, tant pour l'enfant que pour moi comme président du club.

Nous avons hébergé quelques mois l'étudiante échangiste, Deborah Leshana, dont le père était pasteur d'une communauté religieuse Quaker et recteur d'une université de cette confession religieuse. Au début de l'année 1972, avec cette étudiante j'ai fait la tournée de tous les clubs Rotary de la région pour faire la promotion des échanges étudiants. Ce fut, pour tout le district, la naissance d'une belle activité culturelle qui dure encore. Pour notre fille, ce fut une remarquable aventure qui lui a donné une grande ouverture d'esprit sur le monde. Ma participation à ce club m'a été très bénéfique sur le plan culturel et professionnel. J'ai à mon honneur une dizaine d'années de présence parfaite, c'est-à-dire que si j'étais absent à notre souper du lundi soir, j'avais une semaine pour faire une présence dans d'autres clubs. Il n'y a pas un club de la région qui n'a pas eu ma visite en plus de Montréal, Ottawa, Québec et autres villes du Québec; sans compter la participation dans des clubs de différents pays que j'ai eu la chance de visiter depuis une vingtaine d'années.

Une année, – alors qu'il était étudiant à la Polyno – notre fils Georges a été choisi pour représenter le club de La Sarre à la journée de la citoyenneté que le Rotary organise annuellement pour visiter le parlement d'Ottawa et prendre part aux séances. Aujourd'hui, comme membre senior, j'assiste encore au moins une fois par mois à un souper du club de La Sarre et participe aux activités sociales avec mon épouse.

Afin de continuer d'être près des gens de mon milieu, je participe aux repas mensuels de deux associations de personnes âgées, ce qui me permet de revoir quelques amis et clients de l'époque où j'étais leur assureur.

Mon passage dans deux
compagnies régionales

Écrire sa vie, c'est un peu faire une confession générale, et en même temps constater comment on peut tomber souvent dans les mêmes écarts. En regardant mon passé, je remarque que ce sont souvent ces mêmes personnes, rencontrées à un moment ou à un autre, qui reviennent souvent influencer le parcours de ma vie. Elles ont réussi à m'impressionner assez pour me faire investir, croyant toujours que toutes les conditions étaient réunies pour obtenir un succès, auquel j'aurais le plaisir de participer. Je me permets donc de nommer les entreprises de ces personnes, et ce, en commençant par les premières en Abitibi :

- l'Imprimerie Harricana
- Les Fonds Radisson
- Visa Bella inc.
- Formex inc.
- Franchises Ad-Val

De ces entreprises, seule la première est encore opérante. Au début, ce fut la fusion de deux petites imprimeries, une à Amos, l'autre en banlieue de Rouyn-Noranda. Au fil des ans, c'est mon ami Guy Réal Boudreau qui a acheté les actions des actionnaires qui n'avaient plus ni temps ni argent à investir dans cette entreprise. Lui, il s'est trouvé un bon associé et opérateur qui en a fait une réussite. Je l'en félicite. C'est un succès bien mérité parce qu'il a mis beaucoup.

L'entreprise nommée Les Fonds Radisson a été créée pour donner suite à une idée du promoteur, née de la vague de création de fonds communs de placement en Amérique du Nord. L'idée était de se donner un outil de développement régional, mais le promoteur a déménagé à Montréal au service d'un courtier en placements, et sans doute il a fait tellement de mauvais investissements que la majorité des actionnaires qui s'étaient engagés à supporter le développement du fonds par une contribution mensuelle se sont retirés. Quelques années plus tard, lorsque le fonds a été liquidé, il ne restait que des actions de compagnies qui n'existaient plus.

Pour ce qui est de Visa Bella et de Formex, j'ai déjà donné quelques détails sur leur disparition. Concernant Franchises Ad-Val, le promoteur voyait grand, il voulait créer une entreprise de consultants pour les exploitations qui décideraient de vendre des franchises pour développer leur commerce. La cinquantaine de mille dollars récoltés des actionnaires a servi à payer au candidat choisi un séjour aux îles Caymans pour l'étude du marché... Le projet s'est éteint avec le retour de notre homme qui n'avait pas trouvé les idées géniales nécessaires pour mettre l'entreprise en marche.

Le projet « Grand Canal ».

En regardant mon passé, je m'aperçois que j'ai toujours été fasciné par les grands projets. À la fin des années 50, un ingénieur ontarien décide de se pencher sur le problème de la baisse du niveau des eaux dans les Grands

Lacs. Cette baisse a un grand impact, car elle conditionne également le niveau d'eau des ports du St-Laurent, principalement celui de Montréal qui, au cours de certains étés, ne peut plus recevoir de bateaux à fort tonnage. M. Tom Kierans imagine alors la solution par la construction d'un grand canal. Celui-ci aurait pour fonction de drainer les eaux douces de la Baie-James, avec différents barrages et stations de pompage pour dériver l'eau jusqu'à la tête de la Kinojévis. En procédant ainsi, la Kinojévis recevrait le flot additionnel qui par la suite serait redirigé vers les Grands Lacs, et ce, tout en continuant son parcours en empruntant le lac Témiscamingue (qui est la tête de la rivière des Outaouais) pour finalement se déverser dans le lac Ontario. L'ingénieur formulait l'hypothèse que ce projet pourrait être prolongé pour régler le problème de l'assèchement des sols dans le Midwest américain.

Dans les années 60, l'idée continua de faire son chemin, surtout avec le député fédéral d'Amos, Jean-Jacques Martel, qui se lia d'amitié avec M. Kierans, et qui faisait la promotion du projet sur toutes les tribunes où il réussissait à prendre la parole. Même le premier ministre Robert Bourassa mentionne la réalisation éventuelle de ce projet dans un chapitre du volume qu'il a écrit sur l'avenir du Québec.

Le CRDAT fut approché en vue d'explorer la réalisation potentielle de ce projet. Un comité fut formé à cet effet et on me désigna président dudit comité. Grâce aux démarches de M. J.J. Martel en collaboration avec M. Kierans, un groupe d'ingénieurs – à la suite d'une collecte de fonds d'un million – a publié une brochure de promotion et débuté le *lobbying* nécessaire auprès des gouvernements qui seraient impliqués, ainsi l'idée a fait son chemin jusqu'au début des années 90. C'est à cette époque que le travail des gens sensibilisés à l'environnement a convaincu les gouvernements des torts qu'un tel projet pourrait causer à la faune, la flore et la nature en général. En souvenir de l'énergie dépensée sur ce projet, je garde précieusement la brochure descriptive du projet, imprimée en 1986. Peut-être que dans 200 ans ou avant, le projet deviendra d'actualité. En Chine, il y a 2000 ans me dit-on, il y a eu des ouvrages beaucoup plus considérables qui ont été construits et qui fonctionnent encore.

Mon passage à la **Corporation du Séminaire d'Amos.**

À la fin des années 50, le notaire Jules Lavigne de La Sarre m'informa que l'évêque du diocèse d'Amos, Mgr Aldé Desmarais, désirait voir siéger un plus grand nombre de personnes de l'Abitibi-Ouest au conseil de la Corporation du Séminaire d'Amos. À La Sarre, il y avait M. Joseph Fortier, alors président de la commission scolaire ainsi que M. Lavigne, qui ont siégé au conseil de cette corporation créée à la fin des années 40 en vue de la construction du séminaire.

Notre rôle à ce conseil était restreint à ce qui concernait la dette et la gestion des terrains adjacents à l'immeuble. Je me souviens que la corporation avait vendu des terrains pour la construction d'école près de l'institution du séminaire. Après la création du ministère de l'Éducation, des négociations ont débuté en vue de la vente du séminaire à d'autres entités du Ministère, mais comme par hasard, la direction de la corporation n'a jamais convoqué ses membres. Nous avons su au fil des ans que l'évêque d'Amos avait vendu l'édifice, mais que le montant qui avait été versé en octroi pour la construction avait été réduit du fruit de la vente. Le solde a été versé au fonds Mgr Desmarais. Les revenus de ce fonds étaient utilisés pour l'administration du diocèse d'Amos. Ce n'était toutefois pas suffisant pour combler tous les besoins, l'évêque dut faire appel aux paroisses pour combler le manque à gagner.

Membre du **Comité des affaires économiques du diocèse d'Amos.**

Il s'agit d'un comité regroupant des membres de différentes régions du diocèse qui se réunissent aux fins de consultations avec l'évêque qui, sur le plan légal, est responsable des dettes des paroisses de son diocèse. La loi prévoit que toute paroisse qui veut faire une dépense au-delà de 500 $ doit demander la permission à son évêque. C'est pourquoi chaque diocèse doit avoir son comité afin que l'évêque puisse consulter ses membres avant de prendre une décision sur les demandes soumises par les paroisses.

C'étaient des rendez-vous agréables qui nous permettaient de rencontrer notre évêque tous les mois et de l'assister dans sa tâche d'administrateur des biens matériels du diocèse.

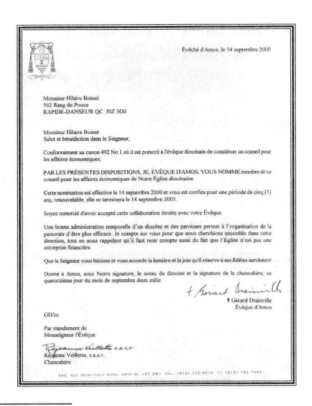

Nomination à titre de membre du conseil pour les affaires économiques de Notre Église diocésaine par l'Évêque d'Amos, 2000.

Agent de pastorale à Rapide-Danseur.

Quelques mois après mon arrivée au Rapide, le curé responsable de Duparquet et St-Bruno a demandé à l'évêque de me confirmer dans ma tâche d'agent de pastorale, travail que j'accomplissais sans en avoir le titre.

Alors se réalisait le souhait que nous avions manifesté lors de la vente de notre maison de Gallichan : nous

Nomination à titre d'animateur de pastorale de la Communauté chrétienne de Rapide-Danseur par l'Évêque d'Amos, 1987.

demeurions dans un des presbytères du diocèse pour assister les prêtres responsables des paroisses qui leur sont confiées.

C'était une tâche agréable de mettre au service de la communauté l'expérience accumulée au cours des ans et d'être en lien entre la paroisse, le curé et l'évêque. La relation était parfois difficile avec certaines personnes du milieu qui me considéraient comme étranger. Cette situation ne me dérangeait pas trop parce que nous sommes tous des étrangers sur cette planète. En réalité, depuis l'âge de 17 ans que j'ai quitté ma paroisse natale et à chaque endroit, j'ai dû faire mon chemin. Il ne faut jamais se décourager, on finit toujours, peu importe l'endroit, par se faire des alliés. Tout vient à son heure dans tous les domaines.

L'Association forestière de l'Abitibi-Témiscamingue.

Dans ma carrière d'assureur, j'étais en contact avec des entrepreneurs forestiers, des propriétaires de scieries et des représentants de papetières ainsi que tous les professionnels qui gravitaient autour d'une de nos principales ressources naturelles : la forêt. On m'a donc sollicité pour faire partie de cette association forestière qui regroupe tous les fournisseurs de services à cette industrie. Après une présence assidue à quelques congrès annuels de l'organisme, on m'a offert un siège au conseil d'administration. C'était un privilège de travailler à la cause des forestiers avec plusieurs de mes clients.

J'ai souvenir d'avoir eu l'occasion de participer à une activité populaire organisée un printemps pour sensibiliser la population à la conservation et à la protection des forêts. Une campagne de sensibilisation s'imposait pour la population de la région parce qu'à cette époque de la colonisation un grand nombre de personnes faisait des feux d'abatis et parfois ça tournait à la catastrophe à cause d'un manque de précautions.

Pour cet événement, des dirigeants de la puissante CIP – qui était le plus gros employeur – avaient permis à leur directeur et à leurs assistants, Gaudiose Dubé et Jacques Desjardins de consacrer beaucoup de temps à organiser des festivités sur la conservation et la protection de la forêt. À l'aréna de La Sarre, le souper de fèves au lard avait réuni au-delà de 1 000 personnes.

C'est dans cette association, lors de divers congrès, que j'ai eu la possibilité de faire des exposés, parfois avec le confrère Guy Crépeault, parfois seul, sur les règles à observer dans la construction d'une scierie, soit : source d'eau à proximité, capacité des pompes à incendie, distance entre le brûleur à rebuts et la scierie, hauteur du brûleur, gardiens de sécurité pendant la nuit et autres considérations qui influençaient le taux d'assurance-incendie qui pouvait varier de 6,50 $ du cent à 12 $. Il faut dire qu'en ce temps, il pouvait y avoir au-delà d'une centaine de petites scieries en région. Lorsque l'époque de la production de copeaux avec les rebuts est arrivée, leur nombre a commencé à décroître rapidement.

C'est pendant mon mandat de membre de l'Association qu'on a assisté aux campagnes de reboisement, de coupes sélectives et autres méthodes de récolte de la forêt. J'ai eu beaucoup de plaisir à travailler avec le premier directeur général, Louis-Philippe De Blois, jeune ingénieur qui était venu s'établir en région. Ce plaisir s'est renouvelé avec celui qui lui a succédé, Claude Jeanneteau, qui a travaillé très fort à l'implantation des Clubs 4H. On peut dire que cette association a toujours – à ma connaissance – un personnel très courtois et dynamique.

Comité régional de la réforme constitutionnelle du Québec en 1995. Le 1ᵉʳ janvier, le ministre Rémy Trudel m'a appelé pour me confirmer que Jules Arsenault acceptait la présidence régionale de ce comité à condition que j'accepte d'être nommé membre de cette commission. C'est donc avec un peu d'hésitation que tous deux avons décidé de faire partie de cette équipe. Nous étions d'avis qu'il était préférable d'être dans l'équipe des décideurs plutôt que d'avoir plus tard à vivre avec les conséquences des décisions sur lesquelles nous n'aurions eu que peu de prise.

Cette opération, bien préparée et planifiée, nous a permis de rencontrer tous les leaders régionaux au cours des mois qu'a duré l'exercice de présentation des mémoires et discussion avec la vingtaine de membres de cette commission régionale. À trois reprises, nous avons eu l'occasion de rencontrer, à Québec, les représentants de toutes les régions de la province. L'exercice était de présenter au gouvernement des propositions de réformes parlementaires qui pourraient être mises en application si le gouvernement gagnait le référendum qu'il se proposait de tenir au cours de l'année 1995. À la fin de l'exercice, je n'avais pas trouvé que cette commission avait fait la découverte magique qui charmerait suffisamment le peuple québécois pour dire : « Oui, on se donne un pays que nous pouvons gérer nous-mêmes ». De fait, à l'automne, le résultat est venu confirmer mes doutes.

Le soir du référendum, après avoir connu le résultat, j'ai écrit ceci dans mon agenda : « les Québécois ne font plus d'enfants, on ne renouvelle pas notre population. Preuve de notre manque de leadership, on a peur du risque. Les jeunes ne se marient plus, ils ont peur de l'engagement. Vaut mieux toujours être prêt à partir si ça ne va pas. Pouvait-on bâtir un pays qui serait stable avec un peuple habité d'une telle mentalité? »

Une dizaine d'années se sont écoulées depuis cet événement et j'observe la gouvernance tant au fédéral qu'au provincial, et je crois que les hommes politiques font un effort pour garder l'harmonie avec leurs collègues qui ont des responsabilités à tous les paliers de gouvernement.

Mon engagement dans le **Centre d'art abitibien.**

Étant soucieux de l'animation du site historique, avec mon épouse Gilberte, nous avons fondé le 6 octobre 1988 le Centre d'art abitibien, organisme dévoué à toutes activités autres que religieuses. Comme l'élément principal de ce site était l'église et que ce lieu de culte était encore utilisé par la communauté chrétienne, il devenait donc normal de se donner un organisme qui aurait la responsabilité des activités culturelles et non religieuses. Les signataires de la charte étaient : Liliane Farley, maîtresse de poste, Jean Gagnon, biologiste de Gallichan, Pauline Lussier, rentière et Gilberte Bourgault. J'agissais à titre de consultant.

Un des premiers objectifs était de collecter des fonds pour l'entretien des édifices du site. C'est pourquoi il a été décidé de créer un comptoir familial. Après plusieurs mois d'activité, on convint de fonder un organisme différent pour la gestion de ce comptoir. Ça s'appellerait **Le centre de dépannage de Rapide-Danseur**.

À partir de cette époque, la vocation du Centre d'art abitibien était donc uniquement de faire la promotion des arts, de l'histoire et de l'animation sur le site par des activités reliées à ces domaines.

À cette fin, le père Donat Martineau O.M.I., notre historien régional, nous a été d'un grand secours par ses suggestions. Il nous a fait réfléchir sur le fait qu'il serait normal de créer un événement annuel qui rappellerait un fait historique de la région et même celle du « Rapide de la danse ». En 1990, c'était le 150ᵉ anniversaire de l'arrivée au Canada des missionnaires Oblats de Marie-Immaculée. Pourquoi ne pas en faire la célébration à Rapide-Danseur en rappelant les difficultés rencontrées par les missionnaires pour se déplacer jusqu'à la Baie-James alors qu'ils avaient 67 portages à faire à partir de Montréal? Le portage du Rapide était celui qui avait la plus grande distance à pagayer, soit 120 milles en aval et 40 milles en amont.

Ce fut donc le 3 septembre 1990 que notre première activité s'est déroulée. Le principal conférencier, le père Donat Martineau, a traité des missionnaires et des portages. Une douzaine de prêtres ont concélébré une messe avec l'évêque du diocèse Mgr Gérard Drainville. Au-delà de 200 personnes ont assisté à cette messe en plein air, célébrée sur la galerie sud du presbytère. Le succès de cette fête est redevable aux bénévoles et aussi à l'appui de l'équipe de la Société du patrimoine de l'Abitibi-Témiscamingue. Cette réussite nous a encouragés et stimulés pour répéter l'événement avec un thème différent chaque année.

Les thèmes de la Fête du Patrimoine à Rapide-Danseur ont été :

1990   Les Oblats de Marie-Immaculée

1991   Les Jésuites

1992   Les Messieurs de St-Sulpice

1993   Les bûcherons

1994   Les maîtresses d'école des colonies

1995   Les infirmières des colonies

1996   Les inspecteurs de colonisation

1997   Les trappeurs

1998   Le centenaire de l'annexion de l'Abitibi au Québec

1999   Fraternisons avec les Autochtones

2000   Fraternisons avec les immigrants

2001   Les mines et les mineurs

2002   Les églises et leurs bâtisseurs

2003   Les maîtresses d'école

2004   Célébrons notre folklore

Le site historique étant inscrit dans le guide touristique, le nombre de visiteurs augmente tous les ans.

Fin 1995, un ami, Claude Ferron, faisant état du nombre de visiteurs qui se présentaient sur le site, proposa que nous organisions une exposition annuelle qui permettrait aux artistes de la région d'exposer leurs oeuvres. À la suite de cette proposition, nous avons organisé une exposition d'une centaine d'œuvres en provenance d'une vingtaine d'artistes. Le premier vernissage a eu lieu le 22 juin 1997 et dans les années qui suivirent, à chaque vernissage, nous invitions un artiste à faire un exposé sur sa carrière et son cheminement. Dès 1996, nous avons eu un étudiant avec le programme du gouvernement canadien « Placement Carrière Été ». Cette formule nous permettait d'avoir une personne à l'accueil des visiteurs à partir du vernissage jusqu'à la Fête du Patrimoine, début septembre.

Mes déménagements

Je me souviens des premières fois où j'ai découché de la maison. C'était lorsque ma mère accouchait d'un autre enfant et que papa nous conduisait à la ferme de grand-père Sidoine Boissé, au 11ᵉ rang de Bonsecours. Après notre déménagement au Rang « A », c'était chez le voisin Arthur Gagnon qu'on nous conduisait. Mon père amenait les enfants les plus âgés, et de retour à la maison, on nous apprenait que la famille venait d'augmenter.

Vers l'âge de 12 ans, nous allions quelques fois chez l'oncle Frédéric Lemay pour deux jours, afin d'aider à l'arrachage des *choux de Siam*. Il nous gardait à coucher. On trouvait sa maison propre et spacieuse, tous les murs et les plafonds étaient finis en bois verni. On appelait cela du *ceiling* ou du « petit V ». En plus, il nous donnait 25 ¢ par jour, ça ne s'oublie pas! On aidait au train du matin et du soir. C'était agréable, il avait une grange-étable moderne pour le temps. Dans la laiterie adjacente, un moteur stationnaire actionnait le centrifugeur et le hache-légumes.

C'est à l'âge de 17 ans que j'ai commencé à travailler comme aide-fermier chez d'autres cultivateurs pour des périodes de quelques semaines à quelques mois. C'était des moments de dépaysement et de déracinement que je n'ai pas eu trop de difficultés à vivre.

On peut dire que le premier déracinement culturel que j'ai vécu fut celui de mon arrivée au Collège St-Césaire où je me suis retrouvé avec une quarantaine d'étrangers, des jeunes dont la moitié découchaient pour la première fois, ce qui n'était pas mon cas. Le premier soir au dortoir, j'entendis pleurer des gars de 19-20 ans qui se trouvaient loin de leur mère, ce qui me surprit beaucoup, d'autant plus que le gardien du dortoir devait les consoler avant qu'ils s'endorment. J'étais content des étapes franchies dans ma vie qui me permettaient d'arriver dans ce nouveau milieu sans problèmes.

Jusqu'à l'âge de 28 ans, j'ai vécu dans plusieurs types d'hébergement, notamment dans des pensions lorsque je travaillais sur des chantiers de construction ou forestiers. La plus mauvaise organisation vécue sur les chantiers, c'est à Bonsecours, dans un petit camp forestier pour trois personnes, le cousin Conrad Simoneau, le fils du patron et moi. Il y avait un lit pour les trois. En guise de matelas, une balle de paille étendue sur une partie surélevée du plancher… Une petite cloison nous séparait du cheval que nous utilisions en forêt, un poêle au bout du lit et un petit comptoir pour préparer la nourriture et consommer le repas. Heureusement, le chantier n'a pas duré plus de deux mois.

En 1949, ce fut l'achat d'une première maison, de M. Ovila Bégin chez qui j'étais en pension jusqu'à notre mariage. C'était un petit camp de 16' x 24 ' construit par M. Joseph Michel Audet. Cette petite maison avait été un camp que M. Audet avait construit pour y loger pendant qu'il bâtissait l'église de Ste-Germaine, il l'avait installée sur des fondations de ciment avant de la vendre à M. Bégin. À l'arrivée de notre deuxième enfant, Georges, nous l'avons agrandie d'une annexe pour avoir plus d'espace.

En 1955, après avoir acheté le bureau d'assurances de Lucien Mercier à La Sarre, nous avons vendu cette maison de Ste-Germaine à M. Valérien Bégin. Au début mai, nous avons déménagé pour nous installer dans une petite maison construite un an auparavant, juste à l'entrée sud de La Sarre, au coin du Rang 4-5 qui est devenu la 12ᵉ Avenue. Jusqu'à son décès, elle était occupée par M. Raoul Boucher. Avec l'arrivée d'Hélène et celle de Jean qui s'annonçait, il fallait penser à autre chose comme logement. Au début de notre réflexion, on acheta un terrain en vue de construire une nouvelle maison. C'était à l'emplacement actuel du bureau de Travail Québec et du Palais de Justice. Nous avons acheté un plan et un ami ingénieur nous a fait l'évaluation du coût, qui était assez élevé pour le temps. Mais nous pensions aussi à Louise qui devait commencer l'école dans quelques mois, et à cette distance nous devrions la transporter. Alors, il valait mieux regarder autre chose.

La solution nous a été proposée par la mère de notre voisine, Mme Edmond Gagnon, qui avait une belle grande maison près de la voie ferrée. Elle avait fini d'élever sa famille, son mari connaissait des déboires financiers dans son entreprise forestière et devait liquider ses biens. En automne, nous avons visité la maison. Gilberte était impressionnée et elle croyait que ce serait la maison qui conviendrait pour élever notre famille. De plus, elle était située à même distance de l'école la plus au sud et de celle la plus au nord. Grand gazon, construction assez en retrait de la rue, terrain bordé par la rivière au nord et par la cour du ministère de la Colonisation au sud et à l'est. On a passé l'hiver à rêver déménagement! Mais, au moment d'aller conclure l'achat, Gilberte remit ce choix en question. On en discuta et on décida de dire non. En me dirigeant vers Mme Gagnon pour lui donner la réponse, j'avais l'intuition que l'on se trompait. D'abord, on lui avait donné notre parole l'automne auparavant, c'était la maison idéale pour une famille, et comme Gilberte était sur le point d'accoucher de Jean, il était normal que momentanément, le déménagement lui apparaisse comme une montagne, ce qui lui occasionnait une petite période de déprime. Tenant compte de tous ces facteurs, dire non aurait plus de conséquences que de dire oui. J'aurais dû retourner à la maison et en discuter de nouveau, ce que je regrette encore aujourd'hui parce qu'elle ne m'a jamais complètement pardonné d'avoir acheté cette maison dans laquelle nous avons demeuré d'avril 1957 à juillet 1974.

Au cours des années 60 et 70, les enfants ont commencé à partir, de sorte que la maison était presque vide et Gilberte était totalement désorientée, ne sachant plus à quoi s'occuper. C'est à ce moment que nous avons décidé de construire la maison de bois rond à Gallichan. On a fait les démarches pour se procurer des billes. Après en avoir discuté avec l'ami Fred Burrows des entreprises Perron, celui-ci m'informa qu'au chantier qui était en activité à Roquemaure il y avait bonne quantité de billes qui conviendraient pour une telle construction. Un bon samedi, je suis allé sur les lieux rencontrer un contremaître et un opérateur de débusqueuse, et on a choisi 40 arbres qui pourraient convenir. Au cours de la semaine suivante, les arbres furent transportés sur les lieux de la future construction.

Maison de bois rond, construite par nous-mêmes, à St-Laurent-de-Gallichan, où l'on rêvait de vivre notre retraite.

Plus tard, je reçus une lettre de mon ami Fred disant qu'après discussion avec les frères Perron il n'y aurait pas de facture, et ce, en considération des services rendus dans le passé. Merci pour la reconnaissance. Il faut se rappeler qu'à la fin des années 50, j'étais du groupe des créanciers qui avaient contribué à sauver leur entreprise qui était en difficulté financière.

C'est Gilberte qui a dessiné les plans et au printemps 74, à peine si la neige avait fondu, avec mes fils, nous avons commencé à peler les billes. Mon ami Émile Rancourt, son fils, et son gendre Gamache ne prirent guère plus qu'un mois pour réaliser la construction du garage et de la maison. Fin juin, nous avons trouvé un acheteur pour la maison de La Sarre et comme les propriétaires voulaient l'occuper le plus rapidement possible, il a fallu se trouver un logement temporaire. Nous avons loué la maison abandonnée de M. Laprise aux abords du village de Gallichan. Au début juillet, lors de notre déménagement, l'eau était encore gelée au sous-sol. On a donc occupé cette résidence deux mois avant d'emménager définitivement dans notre nouvelle maison de bois rond. Le terrain, emplacement situé entre la route et la rivière Duparquet, nous avait été donné par les frères Larouche. Cette gratification est venue à la suite de l'aide apportée à Maurice et Réjean Larouche pour l'expansion de leur entreprise d'élevage de bétail.

C'est une maison dont nous rêvions depuis longtemps. Au cours de nos voyages, nous étions attirés par les chalets en bois rond et on arrêtait parfois pour attiser notre rêve. Nous avons vécu de bons moments dans cette résidence construite en prévision d'y vivre notre retraite. Pour paysager l'environnement, nous avions planté 7 000 arbres que j'espérais émonder aussi longtemps que j'en aurais la capacité.

Mais, en 1979 les événements ont fait que les choses se passèrent autrement. Nous avions ouvert un bureau d'assurances à Matagami et dans l'aménagement du local, un logement faisait partie du projet. Nous avons occupé ce petit local deux ans, ce qui n'était pas trop pratique. On se sentait en devoir 24 heures par jour. Finalement, les choses ont évolué lorsque l'immeuble a changé de propriétaire. Tout le deuxième étage de l'édifice a été aménagé en bureaux. Le bureau d'assurances a été réimplanté au rez-de-chaussée et nous avons trouvé un logement dans un duplex sur la rue des Trembles. Lorsque les Français ont acheté notre maison de bois rond à Gallichan, ils ont eu la gentillesse de nous permettre de l'utiliser durant les vacances et les fins de semaine pour une période de deux ans. Le détachement n'a pas été trop émotif.

En 1984, lorsque nous avons décidé de prendre une retraite du monde des assurances, notre intention n'était pas de demeurer à Matagami. Dans la ligne de pensée déjà exprimée précédemment, notre idée était d'habiter un presbytère libre en Abitibi et d'aider à l'animation paroissiale de cet endroit. Je pris donc l'initiative de solliciter la location du presbytère de Rapide-Danseur, pour la bonne raison que nous avions trois de nos enfants qui vivaient dans cette municipalité, soit Georges, Céline et Hélène ainsi qu'un quatrième, Jean, qui était à

Gallichan, à cinq kilomètres du Rapide. On me répondit que la bâtisse était en réparation et qu'elle était déjà occupée par un jeune couple, que ça pourrait prendre deux ans avant qu'on puisse l'habiter. Les choses en restèrent là, mais entre-temps, un ami de Matagami décida d'acheter le dispensaire qui appartenait à M. Joachim Greffard, qui voulait déménager à Montréal. La transaction se réalisa et les amis Beauchamp nous louèrent le dispensaire en attendant la restauration du presbytère.

Finalement, le 18 novembre 1984, nous avons déménagé de la rue des Trembles à Matagami pour nous installer au dispensaire de Rapide-Danseur. On s'est senti un peu à l'étroit, on ne pouvait même pas utiliser tout notre ameublement, une partie a été entreposée dans le garage adjacent. Nous savions que c'était une situation temporaire.

Afin de hâter la restauration du presbytère qui était plutôt dans un état de délabrement à l'intérieur, j'ai décidé de mettre la main à la pâte. Quelques amis retraités du monde de la construction m'ont conseillé pour la pose du béton au plancher du sous-sol et pour finir l'installation du chauffage et de la plomberie. Un ami, André Paradis, agronome retraité, nous a fait un don de 1 000 $ pour accomplir les travaux d'électricité. En dernier essor, la municipalité, étant responsable du site historique auprès du ministère des Affaires culturelles, a décidé d'investir pour les quelques matériaux manquants et payer un bon menuisier, Félix Provencher, pour terminer les travaux essentiels, ce qui nous a permis d'emménager au presbytère deux ans plus tard, soit le 18 novembre 1986.

Hilaire et Gilberte au milieu de leur jardin de tournesols à Rapide-Danseur.

Vue des airs du presbytère et de l'église de Rapide-Danseur, site historique où nous avons servi pendant presque 20 ans.

Pour terminer cette belle histoire de mon vécu, pourquoi ne pas parler de notre belle famille, nos six enfants?

L'aînée, Louise, née le 27 mai 1951, un trésor que rien d'autre ne peut égaler. Lorsque nous partions en voyage avec elle, on se sentait comme les plus riches au monde. Quel privilège de voir et d'accompagner une personne en devenir! Très jeune, son intelligence et son caractère étaient déjà perceptibles. Les amis qui nous visitaient se demandaient ce qu'elle ferait dans la vie.

À l'école, c'était l'élève modèle, il n'y avait que l'étude qui comptait. Résultats scolaires au-dessus de la moyenne. Ses professeurs se retenaient pour ne pas lui donner la note la plus haute.

Au secondaire, elle désirait devenir pensionnaire. Elle le fut donc pendant quatre ans, chez les Sœurs grises à l'école Notre-Dame-de-Grâces de Rouyn-Noranda. Ses résultats scolaires étaient toujours parfaits, mais elle constata que sur le plan social, elle avait du rattrapage à faire. C'est pourquoi, une fin de semaine, elle exigea de son frère qu'il lui montre à chausser des patins afin qu'elle sache pratiquer ce sport avant son départ le dimanche soir!

Une autre fin de semaine, ce fut le beau manteau de cuir à la mode que nous lui avions acheté qui – selon elle – ne lui dégageait pas assez la cuisse… Avec Gilberte, nous n'étions pas d'accord pour qu'elle le fasse raccourcir, mais comme par hasard, elle nous apparut avec le manteau écourté. Elle avait visité une couturière qui avait procédé à la modification.

L'époque du pensionnat terminée, elle se retrouva au Cégep du Vieux-Montréal pour son cours préuniversitaire. Elle réussit son année scolaire avec succès, mais ayant été mal conseillée par un responsable du collège, ses cours n'étaient pas ceux requis pour entrer à l'université. Nous la rejoignîmes sur les lieux de son emploi d'été, dans un hôpital à Moosonee en Ontario. Elle revint en catastrophe attraper son conseiller scolaire, qui reconnut son erreur et lui remit le document qu'il lui fallait pour s'inscrire à l'université. Nous l'accompagnâmes à l'Université de Montréal comme à McGill. À Montréal, le responsable la reçut un peu comme un chien dans un jeu de quilles, tandis qu'à McGill, la dame responsable des inscriptions, une vraie professionnelle de l'institution, examina son dossier et lui dit qu'elle ne voyait aucun obstacle à ce qu'elle commence à la faculté de droit dès le début des cours.

En novembre, nous avons reçu un appel de l'Université de Montréal qui l'invitait à commencer. Je leur ai répondu ce qui convenait à cause de leur attitude lors de son inscription.

Louise a donc terminé ses études en droit avec succès, carrière pour laquelle toute jeune, elle avait un penchant, car dans les discussions en famille, elle se prononçait souvent avec le commentaire : « Ce n'est pas juste ».

Après avoir travaillé avec des collègues dans différents bureaux, elle est aujourd'hui consultante pour la société Makivik. Elle voit à ce que toutes leurs activités se déroulent selon les lois du Canada et du Québec. Elle est mariée à Robert Pinard, artiste en marqueterie et professeur. Elle a un fils, Emmanuël.

Georges, né le 4 juin 1952, nous a obligés à agrandir notre maison, qui n'était que de 16" x 24" à l'achat. Avec de bons ouvriers de Duparquet et de Ste-Germaine, Émile Rancourt en tête, on a construit une annexe de 24" x 28". Son enfance fut sans histoire; aimé et cajolé non seulement par ses parents, mais aussi par sa tante Jeanne, qui a habité avec nous quelques années.

Peu après notre arrivée à La Sarre, il commença à fréquenter l'école où il était un élève modèle, il avait également beaucoup de facilité à se faire des amis. Un jour, nous apprîmes qu'il fumait en cachette avec un ami, dans un hangar. Alors un soir, à son retour de l'école, je lui ai donné des sous et l'ai envoyé au dépanneur acheter un paquet de cigarettes de son choix afin que l'on puisse le partager tous ensemble après le repas. Il a compris que, même si son père ne fumait pas, ce n'était pas en cachette qu'il devait le faire. Avec le temps, il a cessé de fumer et tout comme mes cinq autres enfants, il est non-fumeur.

Il a été pensionnaire au Collège classique des Oblats à Rouyn-Noranda, mais à la suite du chambardement dans l'enseignement au Québec, il a dû revenir étudier un an à La Sarre pour faire son 5ᵉ secondaire. Il avait sa chambre et son bureau dans le nouvel aménagement fait au sous-sol de notre grande maison. Il a bien réussi son année scolaire, il fut désigné président d'élection scolaire de la polyvalente. Il a gagné le concours de débat oratoire de l'école.

Le Club Rotary de La Sarre le choisit comme ambassadeur pour assister à la rencontre annuelle sur la citoyenneté à Ottawa; ce fut la révélation de ses activités futures.

En été, il travaillait chez l'ami Bruno Bazin aux États-Unis, qui possédait une ferme laitière de 1 200 vaches, il y perfectionnait son anglais tout en travaillant en plein air. Il continuait ses études au Cégep du Vieux-Montréal; à l'époque, nous avions un appartement meublé au centre-ville pour nos enfants qui étudiaient à Montréal. À la fin de son cégep, il s'inscrivit aux Hautes Études commerciales de l'Université de Montréal. Il se présenta ensuite à La Sarre en nous disant qu'il désirait prendre une année sabbatique avant de retourner aux études, il me demanda ce que j'en pensais. Je lui répondis que je pourrais trouver l'argent nécessaire pour la continuation de ses études, mais que j'étais hésitant pour une année sabbatique. Il me répondit qu'il ne me demandait pas d'argent mais simplement de l'aider à se trouver un emploi d'été rémunérateur. Grâce à l'aide d'amis, il a pu aller travailler à la construction de la route Matagami-Radisson.

Le 15 septembre, avec l'argent ramassé, il partait pour l'aventure. Après avoir traversé le Canada sur le pouce, il a continué sur la côte Pacifique jusqu'aux frontières du Chili. Au cours de ce périple, il s'est arrêté pour travailler avec des équipes de pompiers pour l'extinction de feux de forêts. Le pays qui l'a retenu le plus longtemps fut le Costa Rica. Il est revenu à La Sarre le 15 mai.

À l'automne, il n'avait plus le goût de retourner aux études. Il décida d'acheter avec sa sœur Céline et son mari Roger Tasset, le magasin général de Donat Letarte de Rapide-Danseur. Comme l'entreprise ne pouvait pas générer de revenus pour faire vivre autant de monde, il accepta divers emplois, comme commis pour Brazeau Transport à Matagami, ensuite organisateur de cours aux adultes avec la commission scolaire de La Sarre, et finalement responsable du point de service ouvert à La Sarre par la Maison Rouyn-Noranda.

Il se maria à Rapide-Danseur avec Lise Rondeau. Sans histoires, ils filaient le bonheur parfait avec leurs deux fils, quand un malheur arriva : Lise fut emportée dans un accident mortel de camion et Georges se retrouva seul pour élever ses deux gars.

Dans son travail, il réalisa après sept ans qu'il était sans diplômes et que son ascension était terminée. À 31 ans, il n'était pas trop tard pour retourner à l'université. Il choisit l'UQAT afin d'obtenir un diplôme comme travailleur social. Il travailla très fort. Pendant deux étés, il accepta la direction du camp du lac Flavrian, qui accueillait handicapés et déficients. La troisième année, comme ses fils ne voulaient plus l'accompagner, il décida plutôt d'aller au plein air planter des arbres, ce qui est aussi rémunérateur. En terminant ses études en communications, santé mentale et travail social, il fut engagé par le Service social de Rouyn-Noranda.

Un jour, il lut une annonce parue dans tous les journaux du Canada et placée par le ministère des Affaires extérieures. Ce dernier voulait constituer une banque de candidats pour travailler dans les ambassades canadiennes à l'étranger. Après deux ans de questionnements et d'évaluation, ses services sont retenus et on l'invite à commencer à travailler à Ottawa pour une période d'un an avant d'aller en mission à l'étranger.

Au cours de ces dernières années, il a rencontré une perle rare, une charmante jeune fille, Céline Villemure, qui accepta de devenir sa femme. Ensemble, ils partirent donc avec leurs deux fils, Alexandre et Charles pour une première affectation à l'ambassade du Canada au Costa Rica comme responsable adjoint du service d'immigration. Après deux ans, il fut muté aux Philippines, ensuite en Pologne, en Tunisie et finalement à Paris pour quatre ans, après un retour de deux ans à Ottawa. Au Costa Rica est né un autre petit Canadien, Félix, qui fait la joie de ses parents.

Céline est née le 23 mai 1953. Blonde, elle affichait la fragilité, mais n'a jamais souffert de grande maladie. C'était notre bébé lorsque nous avons déménagé dans notre petite maison à l'entrée de La Sarre – au coin du Rang 5, devenu la 12ᵉ Avenue.

Elle avait toujours hâte de voir arriver la voiture et venait à notre rencontre. Un jour, elle a failli en payer de sa vie : j'arrivais de Rouyn-Noranda avec le Frère Germain Lussier, elle aperçut la voiture et décida de traverser la rue pour s'approcher plus rapidement de moi qui m'étais arrêté avant de m'engager dans l'entrée, afin de laisser passer l'autobus qui venait en sens inverse. Heureusement, le chauffeur l'a aperçue assez vite et s'est arrêté complètement pour que je la cueille dans mes bras et l'amène dans la voiture avec l'ami Germain.

Son enfance s'est passée sans grandes histoires, tant à la maison qu'à l'école. Petits moments d'espièglerie parfois, comme par hasard l'horloge pouvait être avancée ou reculée d'une heure. Un sac d'école d'un de ses frères où sœurs pouvait demeurer introuvable à l'heure du départ pour l'école, elle participait aux recherches avec toute la famille et au bout d'un certain temps, elle le retrouvait dans un endroit que personne n'aurait pu imaginer, par exemple une poubelle vide qui servait à l'entreposage du sucre ou de la farine (achetés en grandes quantités).

Avec son amie Line Giasson, elle s'occupait à l'édition d'un petit journal préparé dans sa chambre qu'elle décorait à sa manière, soit de découpures de magazines collées aux murs et au plafond. Le plancher était rouge avec la trace de ses pieds nus en blanc! C'était une œuvre d'art à visiter! Elle a fait partie des guides et a fréquenté le Camp Chicobi à Guyenne. La faune et la flore l'intéressaient beaucoup. Son séjour dans ce milieu lui a permis d'acquérir des connaissances qu'elle applique aujourd'hui dans la réussite du beau jardin qu'elle cultive chaque année.

Pendant ses études secondaires, elle était pensionnaire chez les Sœurs grises à l'école Notre-Dame-de-Grâces de Rouyn-Noranda, mais ça n'a duré qu'un an et demi, car une religieuse ne tolérait plus les espiègleries qu'elle et ses amies lui faisaient vivre. Elle finira son année scolaire à l'Institut familial de Ste-Ursule des Sœurs de la Providence. Cette communauté était dirigée par Monique Boissé, cette dernière lui confia la tâche de faire le ménage dans son bureau pour avoir l'occasion de jaser avec sa nièce. Elle terminera ensuite son secondaire à la polyvalente de La Sarre.

Pour le cégep, elle s'est installée à Montréal, en appartement avec Louise et Georges. C'était une expérience différente pour elle, que de s'engager dans des mouvements avec d'autres personnes, elle s'intéressait à toutes les causes, même au Krishna. Elle fut attirée par un ami de Georges, Roger Tasset, dont les parents avaient quitté le Témiscamingue pour vivre à Pointe-Claire. L'été suivant, elle nous a écrit pour nous informer qu'elle mariait son Roger, qu'on pouvait assister au mariage si ça nous plaisait, et que cette union (non catholique) serait présidée par un ministre qui officiait des mariages pour des gens de toutes religions (église unitarienne). Après réflexion et discussion avec les parents du marié, on s'est rendus à Pointe-Claire pour la célébration, suivie d'un repas au Edgewater.

L'année suivante, avec son mari, elle revint en Abitibi pour s'associer avec son frère Georges dans l'achat du magasin général de Rapide-Danseur. Céline est une bonne éducatrice, elle a très bien élevé ses quatre enfants. Son aînée, Sara, est déjà mariée, après avoir terminé ses études en traduction à l'Université d'Ottawa. Ses trois autres enfants, Mathieu, Myriam et Nicolas sont de bons travailleurs et cherchent leur voie.

Céline a suivi des cours de comptabilité et

d'informatique, elle s'occupe à des tâches de comptabilité et de secrétariat pour différentes entreprises. Très discrète, elle n'en dit pas plus que le client lui en demande. Ses employeurs sont très satisfaits d'avoir une personne ayant un aussi grand souci de bien faire les choses, tout en mettant à profit ses grandes connaissances du français. On est bien fiers d'elle!

Avec le sourire, Hélène nous arrivait le 16 avril 1956. Tout bébé qu'elle était dans son petit lit d'enfant, elle nous accueillait avec le sourire, tout comme encore aujourd'hui d'ailleurs. Enfance sans histoire particulière. Bonne élève à l'école, assez studieuse pour avoir de bons résultats scolaires. Avec sa sœur Céline, elle faisait partie des guides, participait aux camps sous la tente et fréquentait les camps d'été de Chicobi et de Rémigny. Pour apprendre l'anglais, elle est même allée à Huntsville, Ontario faire un séjour dans une colonie de vacances d'enfants anglophones.

Une année, une de ses amies lui conseilla d'aller étudier à Stanstead dans un pensionnat aux frontières des États-Unis. Le programme n'étant pas assez exigeant pour elle, la directrice l'obligea à suivre des cours additionnels afin de mobiliser toutes ses énergies et ses talents. Ses résultats scolaires étaient excellents. À la fin de son année scolaire, elle n'eut pas le goût de revenir à la maison familiale de La Sarre. Sa sœur Louise, qui était à Montréal, lui proposa de travailler avec elle à l'emploi d'été qu'elle avait décroché à la Maison Mère des Sœurs de la Providence, sur la rue Salaberry. (C'était commode d'avoir deux tantes religieuses dans cette communauté, Marie-Anna et Monique Boissé!)

À la fin des vacances, il était prévu qu'elle revienne étudier à la Polyvalente Polyno de La Sarre, mais le désir et la passion du retour n'y étaient pas. Un événement inattendu se présenta : le Club Rotary de La Sarre avait décidé de participer au programme d'échange étudiant international. Celui-ci était jumelé avec celui de Baker, Oregon. Le responsable de cet échange, un de nos voisins à La Sarre, Gaston Matte, avait fait toutes les démarches dans le but d'y envoyer un de ses enfants, mais une semaine avant le départ, il considéra qu'elle était trop jeune pour vivre un tel dépaysement. Il essaya de prendre entente avec la commission scolaire pour qu'elle accepte l'étudiante de l'Oregon sans qu'elle soit remplacée par une élève de La Sarre qui irait aux États-Unis. Sa tentative échoua et il se présenta à mon bureau pour savoir si je ne pourrais pas dépanner le Club qui serait pénalisé de 3 000 $. Alors, j'analysai le cheminement scolaire de chacun de mes enfants et me dis que ça pourrait convenir à Hélène, même si elle avait un an de moins que la règle proposée. Je consultai Louise pour avoir son opinion. Elle me répondit que ce serait sa planche de salut, car elle n'avait réellement pas le goût de retourner à La Sarre. Je joignis donc Hélène pour lui faire la proposition et lui demandai de faire la première démarche en allant au consulat américain solliciter un permis de séjour pour écolier pour une période de 10 mois. Le lendemain soir, elle me téléphona pour m'apprendre qu'elle avait le document en main. On convint qu'elle prendrait l'avion pour l'Abitibi afin de venir préparer sa valise, ce qu'elle fit, et le dimanche matin, cinq jours plus tard, elle s'embarquait à Dorval pour Portland où l'accueillait Ray

Miller, responsable du Club. À 22 h, nous étions rentrés chez nous à La Sarre, après être allés la reconduire à l'aéroport à Montréal. Nous reçûmes alors son appel, son voyage s'était déroulé sans problème. Un mois plus tard, elle se débrouillait en anglais. Aux fêtes, comme mentionné précédemment, nous lui avons rendu visite et nous avons voyagé avec elle le long de la côte du Pacifique jusqu'aux frontières du Mexique et sommes revenus à Portland par l'intérieur des montagnes. Elle nous revint fin juin et ensemble, nous avons visité les Clubs Rotary de la région pour faire la promotion des échanges étudiants avec l'étranger. À l'automne, ce fut le retour aux études à Montréal dans un cégep anglophone. L'année suivante, elle s'inscrivit à Concordia en communications.

Elle occupa des emplois d'étudiants dans les grands hôtels du centre-ville de Montréal et elle devint responsable des comptes recevables à l'hôtel Reine Élizabeth. L'expérience acquise la poussa à accepter une nouvelle fonction dans une entreprise d'encadrement où elle releva le défi de démarrer un service de grossiste.

Elle revint en Abitibi à la suite du décès de la femme de Georges dans un accident. Temporairement, elle devint un peu la mère adoptive de ses deux neveux, Alexandre et Charles. Elle occupa de petits emplois pour se distraire, comme faire de l'évaluation de propriétés pour la MRC (Municipalité régionale de comté). Finalement, elle accepta un poste à l'UQAT comme secrétaire et finit par prendre deux années sabbatiques pour retourner aux études et compléter un baccalauréat en administration. Elle est donc avec l'Université depuis 18 ans à titre d'adjointe de direction.

Au travers de ce périple, elle a marié Alain Rondeau et ils filent le parfait bonheur avec leurs deux fils étudiants, Gabriel et William.

Le 16 avril 1957 naissait notre cinquième enfant, Jean, à l'hôpital de Rouyn-Noranda. C'est lui qui a étrenné la grande maison sise près de la voie ferrée et des édifices du ministère de la Colonisation. Pendant le séjour de Gilberte à l'hôpital, tante Jeanne s'était occupée du déménagement de la petite maison à l'entrée sud de la ville de La Sarre.

Il a eu une enfance sans histoire particulière, très bon élève à l'école. Très serviable pour les petites tâches à accomplir à l'intérieur comme à l'extérieur de la maison. Également très économe pour les sous qu'il gagnait et soucieux d'augmenter les entrées de fonds qui étaient utilisées à des fins bien précises. Un automne, il demanda à faire le déneigement et l'entretien de la cour en remplacement de l'entrepreneur qui exécutait ce contrat depuis quelques années.

À l'école, il s'enrôla dans les cadets de l'armée canadienne, ce qui lui permit d'aller dans des camps d'entraînement un peu partout à travers le pays. Il développa son goût d'en connaître davantage sur la faune et la flore. Pour la chasse au petit gibier, il est un habile tireur, ça ne lui prend que trois balles pour abattre trois perdrix!

Il n'aimait pas beaucoup l'anglais, mais il accepta d'aller

dans un camp de vacances d'enfants anglophones dans le Nord de l'Ontario. À la fin de son secondaire, il hésitait sur son choix de carrière. Il se renseigna sur l'organisation *Katimavik* qui venait d'être fondée. Avant d'être accepté, il alla étudier à l'école Duchesnay pour apprendre le mesurage et la classification du bois résineux. Au retour, il fut employé par différentes entreprises forestières en Abitibi et en Ontario. En fin d'été, l'organisation *Katimavik* le rejoint pour lui annoncer qu'il était accepté et convoqué pour l'inscription et recevoir les instructions en rapport avec ce projet. Il a vécu cette expérience avec enthousiasme jusqu'à la fin. Il termina ce séjour dans les Maritimes, après avoir habité dans différentes provinces.

Il se familiarisa avec la direction d'une école d'ébénisterie et décida d'y retourner pour une année. Comme il aime bien, en bon gestionnaire, être autosuffisant, il se trouva un travail de professeur de français dans une école anglophone d'immersion française. Sa mère, ancienne institutrice, lui envoyait à sa demande tout ce qu'elle avait de manuels d'enseignement du français.

Fin mai, Georges alla chercher Jean avec son camion afin de rapporter les beaux meubles qu'il avait fabriqués pendant son séjour. Ils sont encore beaux à regarder. Il a le talent de ses ancêtres Bourgault.

À son retour, il retourna travailler dans les grandes scieries de l'Abitibi à la classification du bois. Pour lui, le bonheur parfait était de retourner les morceaux de bois qui passaient devant lui et de décider si c'était de catégorie no 1, 2, 3 ou 4.

Louiselle Gadoury, fille de Marcel, a attiré son attention. Elle a fait des études en horticulture et ensemble, ils parlaient d'un projet de ferme d'élevage de moutons, mais comme le retour sur l'investissement est lent dans ce genre d'élevage, ils cherchèrent une ferme pas trop loin d'un cours d'eau pour entreprendre une culture en serre. On finit donc par trouver l'endroit rêvé le long de la rivière Duparquet à proximité du village de Gallichan.

À travers ces recherches et leurs réalisations, l'amour des deux tourtereaux s'est développé et ils se sont mariés à l'église de Roquemaure, puis ont convié les familles à une belle fête paysanne que les invités n'ont pas oubliée. Pour faire suite à cette union, on les retrouve aujourd'hui avec cinq beaux enfants : Samuel, Angéline, Antoine, Mathilde et Laurence. L'aîné est déjà passé par l'école d'Agriculture de St-Hyacinthe et est revenu avec sa copine Marie-Claude s'engager dans l'entreprise pour la relève.

Les mots me manquent pour décrire la beauté de la multitude de fleurs que nous retrouvons dans les serres qui sont à l'apogée de leur production à la mi-mai, avant la livraison dans les villes de l'Abititi-Témiscamingue et le Nord de l'Ontario, où les gens apprécient être servis par des francophones du Québec.

Jean et Louiselle aiment beaucoup leurs enfants et n'épargnent rien pour leur donner une bonne éducation. C'est agréable de les voir parfois tous les cinq aux serres, travaillant avec leurs parents et prenant des responsabilités à leur mesure. Ce ne sont pas toutes les familles qui ont la possibilité de vivre et de croître dans un climat aussi favorable à une éducation équilibrée, dans la joie et l'amour.

Pour terminer la description de la famille, je ferme ce chapitre en parlant du plus jeune, Guy, né le 9 août 1959. Il a été aimé – et l'est encore - par ses frères et sœurs ainsi bien sûr que par ses parents.

Son enfance est sans histoire, ça viendra plus tard. Guy étant un enfant hyperactif, maladie non diagnostiquée à l'époque, il fut plus difficile de l'introduire à l'école. Ce déficit d'attention compliquera d'ailleurs son passage sur les bancs d'école. Constamment envahi par toutes sortes de distractions dès la première année, son institutrice est obligée de l'encager de murs de carton pour qu'il ait vue sur le tableau et le professeur. Ses résultats scolaires sont moyens. Il ne semble pas avoir d'ambition, mais c'était mal le connaître, la motivation n'y était pas toujours. Comme solution, il fut pensionnaire au séminaire de Rouyn-Noranda où prêtres et laïques lui enseignèrent. Le fait d'être encadré influença beaucoup ses résultats scolaires.

Malheureusement, dans la même période nous avons déménagé de La Sarre à St-Laurent, et ce changement fut difficile pour Guy sans que l'on s'en soit aperçu. Il nous a convaincus de l'inscrire à la Polyvalente de La Sarre, mais l'immersion dans l'école publique fut désastreuse pour lui. Facilement influençable et en pleine époque du *peace and love*, sa soif de connaître la vie l'emporta sur l'école. Il décida donc d'aller sur le marché du travail et partit faire la cueillette des fruits en Ontario. Il revint quelques semaines plus tard et réalisa qu'il manquait de scolarité et qu'il n'irait pas bien loin dans la vie avec seulement un secondaire 3. « Faut faire quelque chose », dit-il. Assez débrouillard, il réussit à s'inscrire à des cours d'éducation aux adultes avec son statut de décrocheur. Tant bien que mal, il finit par obtenir son diplôme de secondaire 5.

Au milieu de l'hiver, son cours étant terminé, il dut attendre trois ou quatre mois pour suivre un autre cours plus avancé. Tenant compte du vide à combler pendant cette période, je lui proposai, pour l'éloigner de son entourage, d'aller travailler dans une ferme. Il accepta et après une demi-heure passée au téléphone, on trouva un emploi chez un producteur laitier belge près de St-Jean-d'Iberville. Je demeurai avec lui et cette famille pendant quelques heures et considérai qu'il était entre bonnes mains. Il passa quelques mois à ce travail et finit par se retrouver de nouveau à La Sarre. Il retourna à la cueillette des fruits en Ontario et alla aux pommes avec ses amis toujours impliqués dans toutes sortes d'aventures, qui à son avis, sont trop compliquées à raconter… « C'est une trop longue histoire », disait-il.

Il venait parfois me visiter au bureau d'assurances et un bon jour il me dit : « J'aimerais ça travailler en assurances! Peut-être que je pourrais habiter à Montréal avec Hélène et Louise? » Consentant, je lui donnai quelques noms de responsables de compagnie avec lesquelles je négociais et il partit avec ses bagages. Un vendredi après-midi, il se présenta au bureau de courtage, à M. Dubé, responsable de la direction de Stewart-Smith. Après cinq minutes pendant lesquelles Guy expliqua qu'il était le fils de Hilaire Boissé, M.Dubé le regarda dans les yeux en lui disant de se rendre chez un coiffeur pour une coupe de cheveux et de revenir lundi matin avec une chemise propre et une cravate. Il restera plusieurs mois à cet endroit, à travailler d'abord à la distribution du courrier et aux différents services avant de passer aux réclamations.

Il prit de l'expérience dans l'assurance avec différents employeurs et postes Ensuite vint une époque où il fut plus difficile à suivre. Tantôt à New York, tantôt à Montréal à oeuvrer dans le domaine de l'import-export de disques.

Cette portion de sa jeune vie d'adulte rocambolesque l'a fait s'ennuyer de son Abitibi natale et de la tranquillité qu'on y retrouve, il dénicha donc un travail en assurances auprès d'une mutuelle d'assurances d'Amos où il rencontra Natalie Ferron fille de Claude Ferron avec qui j'avais été associé plusieurs années auparavant.

Il a continué d'évoluer dans le monde de l'assurance en Abitibi, a pris une courte pose pour se forger un talent de vendeur auprès de ses deux cousins, Serge et Jean Dion, comme vendeur d'automobiles. La période passée dans le domaine de l'automobile fut déterminante pour le reste de sa carrière. Convaincu de ses talents de vendeur et de relationniste, il abordera le métier de courtier d'assurances différemment. Des confrères du Club Richelieu d'Amos l'invitèrent à se joindre à eux au bureau d'assurances de Bouchard Lacombe et Perron. Depuis, ses talents contribuent au développement de cet important bureau d'assurances de la région.

Il élève maintenant avec sa femme une belle petite famille de trois garçons : François, Vincent et Olivier.

Gilberte

Gilberte Bourgault est née à St-Jean-Port-Joli le 22 juillet 1925.

Son père se nommait Armand Bourgault et sa mère, Anne-Marie Bourgault. La famille Bourgault est constituée de dix enfants soit; ses frères, Donat, Jean-Paul, Gaston et Jean-Marc ainsi que ses sœurs Rita, Monique, Lucille, Marie-Marthe et Madeleine, sans oublier évidemment Gilberte.

Après que Gilberte eut fait ses études au primaire et au secondaire à St-Jean-Port-Joli, elle fréquenta l'École Normale de Méricy des Soeurs Ursulines à Québec pour ainsi obtenir son brevet d'enseignement.

Mais après avoir enseigné pendant un an seulement, elle se rendit compte qu'elle était plus heureuse en travaillant dans la sculpture sur bois!

Dès son jeune âge, elle eut le goût de s'engager et de militer dans des mouvements de jeunes. Par ailleurs, son curé Joseph Fleury, la nomma présidente des Croisallons.

Et plus tard, lors de la fondation d'une section locale de la Jeunesse Agricole Catholique (J.A.C.), elle fut nommée présidente de ce mouvement.

Par la suite, son curé lui proposa le poste de secrétaire diocésaine qui était à ce moment-là vacant. Il avait une grande confiance en l'expérience de Gilberte. Elle accepta alors le poste qu'il lui était offert et bien entendu, Gilberte assumât parfaitement cette responsabilité.

Dans sa paroisse, elle accomplit la tâche du secrétariat de plusieurs organismes.

En 1947, elle fit partie du voyage en Abitibi, organisé par le diocèse de Québec pour la promotion de l'établissement des jeunes en pays de colonisation.

En 1948, elle représenta son diocèse à une session d'informations tenue à l'école Noé Ponton de Sherbrooke pour la promotion de l'établissement des jeunes en pays de colonisation.

Au même endroit se tint le conseil diocésain de la J.A.C. du diocèse de Sherbrooke. À ce moment-là, elle fit la charmante rencontre du président diocésain, Hilaire Boissé!

C'est alors qu'un peu plus tard la vie célébra un heureux évènement : Hilaire Boissé mariait Gilberte Bourgault le 1er juillet 1950.

Au cours des années qui ont suivi leur mariage, Hilaire et Gilberte fondèrent doucement leur famille et eurent six enfants extraordinaires, dont Louise, Georges, Céline, Hélène, Jean et Guy.

Hilaire et Gilberte avec leurs six enfants. De gauche à droite :
Hélène, Céline, Jean, Georges, Louise et Guy, autour de 1961.

Hilaire et Gilberte avec leurs six enfants. De gauche à droite :
Céline, Jean, Georges, Hélène, Guy et Louise. Photo prise en 1990.

En conclusion, je me retrouve dans chacun de mes enfants, c'est-à-dire dans ce qu'ils font et dans les choses que j'aurais aimé réaliser et qui m'ont manqué.

Louise, qui a fait son droit, rejoint ce qui me manquait dans l'exercice de ma profession de courtier d'assurances. Être assureur comporte l'obligation légale de respecter un contrat, tant pour celui qui le vend que pour celui qui l'achète.

Georges, a toujours été occupé à aider des individus dans l'amélioration de leur qualité de vie, soit comme travailleur social ou encore dans l'accomplissement de son emploi actuel comme diplomate canadien - responsable dans une ambassade de l'immigration au Canada. Il est très préoccupé et sensible à l'étranger qui veut améliorer sa qualité de vie en changeant de pays. Tout ça me rejoint, car j'ai œuvré dans toutes sortes d'organismes dans le but de construire un monde meilleur.

Céline, l'enfant mystique, d'une profondeur que l'on retrouve dans tout son comportement. Bon jugement, que l'on connaît après avoir réfléchi. Dans le langage, souci de la parfaite expression, choix judicieux du moment de parler. N'en dit pas plus que le client en demande. Elle me rejoint dans le sens que j'aurais aimé avoir tous ces atouts pour améliorer la qualité de mes communications avec les personnes de mon entourage.

Hélène, est celle qui n'a pas peur des défis à relever pour perfectionner ses connaissances afin d'être plus efficace pour être à la disposition de tous, autant dans sa famille que dans la société. Elle conserve sa joie au travail, tellement que tout le monde aimerait travailler avec elle. Son sourire continue de m'impressionner. J'aurais aimé en faire autant et être aussi agréable dans les différents milieux que j'ai fréquentés.

Jean, celui en qui je retrouve le plus grand nombre de mes rêves réalisés. Avec sa femme, Louiselle, ils créent un climat d'amour, d'affection, d'attention et d'éducation dans leur famille, comme je n'en ai jamais vu ailleurs. Leur entreprise les aidant, ils sont des parents modèles. J'avais rêvé bâtir une entreprise en agriculture, c'est lui qui l'a réalisé. Bon gestionnaire, il ne se laisse pas tenter sans réfléchir sérieusement avant de prendre une décision à savoir si l'achat ou la démarche qu'il fera contribuera au développement de son entreprise ou améliorera sa qualité de vie, celle de sa famille ou de ses employés.

Guy, celui qui m'avait dit un jour en revenant de la chasse au petit gibier assortie d'une leçon de conduite automobile dans une grande carrière de gravier : « On peut dire que vous avez le tour de faire plaisir à vos petits gars! » Aujourd'hui, en plus de le voir avec sa femme Natalie, s'occuper de l'éducation et des loisirs de ses fils, il m'apporte beaucoup de consolations. Sur le plan de sa carrière d'assureur, il relève des défis que je n'ai pas réussi à relever. Étant un peu plus scolarisé que moi et devenu parfaitement bilingue – ce qui était un handicap pour moi – il a développé des marchés très ciblés en assurances, expérience que j'avais tentée sans succès avec la firme Boissé Blanchard et Crépeau.

Sur le plan familial, malgré mes nombreuses absences, j'ai la satisfaction d'avoir une très belle famille dont chacun et chacune rayonne dans son milieu. Je le dois beaucoup à mon épouse Gilberte qui, grâce à ses belles qualités d'éducatrice, savait combler le vide par son ingéniosité naturelle, lui permettant d'occuper sainement chacun des enfants.

Lignée de la famille Boissé

Bossé, Jean	St-Martin de Charles bourg, Poitou, France	Guillon, Anne
Bossé, Louis	Cap St-Igance, 14-02-1692	Bouchard, Anne
Bosset, Ignace-Pierre	Fort St-Frédéric, 25-10-1751	St-Michel, Anne
Boisser (Boissy), Pierre	St-Hilaire, 09-02-1801	Pierre pierre dit Blondin, Madeleine
Boissy, Jean (Sidoine)	St-Hilaire, 28-10-1828	Archambault, Justine
Bossy, Sidoine	St-Jean-Baptiste de Rouville, 07-02-1853	Frégeau, Marie-Louise
Boissé, Sidoine	Stukley, 17-07-1886	Gaboriault (Lapalme), Joséphine
Boissé, Moïse-Hormidas	Bonsecours, 31-12-1918	Lemay, Marie-Rose
Boissé, Hilaire	St-Jean-Port-Joli, 01-07-1950	Bourgault, Gilberte

Hilaire Boissé et Gilberte Bourgault

Hilaire Boissé né le 12-01-1922	mariés le 01-07-1950 à St-Jean-Port-Joli	Gilberte Bourgault née le 22-07-1925

Enfants nés à St-Germaine et à La Sarre

	Marié(e) à :	Enfants :
Louise née le 27-05-1951 (mariés le 02-07-1993)	Robert Pinard né le 04-07-1949	Emmanuël 01-08-1991
Georges né le 04-06-1952 (mariés le 13-10-1976)	Lise Rondeau née le 14-10-1953 ✝ le 18-09-1980	Alexandre 21-09-1977 Charles 24-03-1979
(mariés le 14-04-1990)	Céline Villemure née le 27-07-1953	Félix 13-06-1992
Céline née le 23-05-1953 (mariés le 01-10-1972)	Roger Tasset né le 08-06-1950	Sara 29-07-1976 Mathieu 12-01-1978 ⌐ Myriam 31-05-81 └ (Sandrine 27-04-00) Nicolas 09-12-1983
Hélène née le 16-04-1956 (mariés le 29-12-1981)	Alain Rondeau né le 31-01-1955	Gabriel 11-02-1983 William 29-05-1989
Jean né le 16-04-1957 (mariés le 04-09-1982)	Louiselle Gadoury née le 16-02-1957	Samuel 23-05-1983 Angéline 11-10-1984 Antoine 18-10-1987 Mathilde 29-04-1989 Laurence 19-07-1990
Guy né le 09-08-1959 (mariés le 07-07-1990)	Natalie Ferron née le 07-02-1963	François 01-06-1991 Olivier 29-01-1993 Vincent 22-04-1995

Souvenirs

Béatification de Sœur Gamelin à Rome (fondatrice des Sœurs de la Providence), Castel Gondolfo, en 2002 avec mes sœurs Marie-Anna, Monique et Éva.

Photo de Gilberte Bourgault, la mère d'Hilaire, Marie-Rose Lemay, Hilaire et Émile Grondin, à la maison de La Sarre.

Frères et sœurs de Hilaire Boissé en 1980. En partant de gauche, Dominique, Paul-Émile, Simone, Rose-Aimée, Éva, Sr. Monique, Sr. Marie-Anna, Hubert, Hilaire. À l'avant, Jeannette et Jeanne.

Ma prière préférée

O Père,
Source de l'amour,
Tu nous as gardés en ce jour
Dans ta tendresse.
Si je n'ai pas compris ta voix,
Ce soir je rentre auprès de toi,
Et ton pardon me sauvera de la tristesse.

Seigneur,
Étoile sans déclin,
Toi qui vis aux siècles sans fin,
Près de ton Père!
Ta main, ce jour, nous a conduits,
Ton corps, ton sang nous ont nourris :
Reste avec nous en cette nuit,
Sainte lumière.

Seigneur,
Esprit de vérité,
Ne refuse pas ta clarté
À tous les hommes.
Éteins la haine dans les cœurs,

Et que les pauvres qui ont peur
D'un lendemain sans vrai bonheur
En paix s'endorment.

Seigneur,
Reviendras-tu ce soir
Pour combler enfin notre espoir
Par ta présence?
La table est mise en ta maison
Où près de toi nous mangerons
Pour ton retour, nous veillerons
Pleins d'espérance.

Ma chanson préférée

Le chant du « Réveil rural »

C'est le réveil de la nature,
Tout va revivre au grand soleil!
O la minute exquise et pure
De la campagne à son réveil!
Autour de toi, l'instant proclame
L'amour, la foi, la liberté!
O fils du sol, ouvre ton âme
Comme tes yeux à la beauté.

**Vois l'aube au ciel s'élargir en aurore
Pour chasser l'ombre au pied des monts lointains,
Et de la ferme au sommeil lourd encore,
Entends le coq chanter dans le matin!**

Quand ta charrue ouvre l'argile,
De ton sillon, ô laboureur,
Va sourdre, grâce au blé fertile,
Le mot vivant du Créateur.
Ne laisse pas le doute infâme
Trahir ton droit, ta liberté.
O fils du sol, ouvre ton âme
Comme tes yeux à la beauté.

Dieu t'associe à sa gloire plénière :
Il t'a choisi, semeur, pour attester
Son œuvre éparse à travers la matière,
Car ton labeur nourrit l'humanité!

Fais-nous la suprême largesse :
Aux rêves faux des citadins,
Offre l'exemple et la promesse
De moins pénibles lendemains.
Que ton ouvrage à tous proclame
La joie de vivre en liberté!
O fils du sol, ouvre ton âme
Comme tes yeux à la beauté!

Lorsque pour toi, le travail recommence,
Sache comprendre et bénir ton destin
Puisque tu peux, dans le jour qui s'avance,
Entendre un coq chanter dans le matin!

C'est le réveil de la nature,
Tout va revivre au grand soleil!
O la minute exquise et pure
De la campagne à son réveil!
Autour de toi, l'instant proclame
L'amour, la foi, la liberté!
O fils du sol, ouvre ton âme
Comme tes yeux à la beauté!

Table des matières